MINUTE, PAPILLON !

Âgée de 34 ans, Aurélie Valognes est une romancière française, auteur de best-sellers. Ses trois premières comédies, *Mémé dans les orties*, *En voiture, Simone !* et *Minute, papillon !*, véritables phénomènes populaires, ont conquis le cœur de millions de lecteurs à travers le monde. Son quatrième roman *Au petit bonheur la chance !* vient de paraître.

Happy New year. febr. 2019

AURÉLIE VALOGNES

Pour Laila

Minute, papillon !

MAZARINE

Amitiés de Wietske.

L'Éditeur tient à remercier Dina Satonhac.

© Mazarine/Librairie Arthème Fayard, 2017.
ISBN : 978-2-253-07317-8 – 1re publication LGF

À Françoise et son association de Savigny le Temple,
À tous les clubs de lecture qui luttent
contre l'analphabétisme
et partagent leur passion pour la lecture.

À Fatima Zohra, Karima, Thakun, Jabin,
Amara, Thanusha, Maria de Fatima, Marie, Waliya,
Parce qu'après « le premier livre de leur vie »,
il y en aura des milliers d'autres !

Et à tous ceux pour qui
Mémé, Simone *ou* Papillon *fut le premier.*

1

Et bonne année, bien sûr !

Rose détestait les réveillons du Nouvel An. Surtout quand elle les passait seule. Pour se remonter le moral, à la fin du fameux décompte de minuit qui apportait son lot de promesses, elle s'empara de son portable, dans l'espoir d'y trouver un texto de son fils. Rien. Elle alla à la fenêtre, où elle aurait aimé deviner sa silhouette au loin. Mais personne, juste le chat noir de la voisine, qui en profita pour traverser, sous ses yeux.

Il ne manquait plus que ça !

Pour conjurer le mauvais œil, elle saisit le programme télé, afin de consulter son horoscope : le moins que l'on pouvait dire était qu'en 2016, Jupiter la mettait dans la panade ! Pour les Vierges, les prévisions étaient nettement moins enthousiasmantes que celles des années précédentes : c'était l'année du changement, mais, en amour, *niet* ! *Nada* ! Une fois de plus.

À ce régime-là, autant entrer chez les bonnes sœurs !

À l'heure des bonnes résolutions, que l'on déterre le 1er janvier et que l'on enterre presque aussitôt, Rose, tandis qu'elle descendait aux ordures les cadavres de plats Picard de ses soirées passées, venait de prendre une décision importante. Elle se donnait douze mois pour reprendre sa vie en main. Famille, argent, amour et travail : tout irait mieux. Il suffisait d'y mettre de la bonne volonté.

Résolution n° 1 : positiver et ne plus croire aux présages, bons ou mauvais !

Comme beaucoup de personnes nées sous le signe de la Vierge, Rose était une hyper-angoissée, à toujours imaginer le pire. Le genre à prévoir une trousse à pharmacie plus grosse que sa valise de vacances, pour pallier n'importe quelle catastrophe, qui finirait immanquablement par lui arriver : brûlure, méduse, poux, torticolis, conjonctivite, entorse, piqûre de guêpe… Elle collectionnait les comprimés pour tous les maux possibles – mal de tête, de gorge, de dos, de ventre, de douleurs de règles et autres problèmes de transit. Si elle prenait le moindre coup de soleil, assurément elle pensait : « *Je l'avais bien dit qu'il se passerait encore quelque chose ! C'est toujours sur moi que ça tombe !* »

La jeune femme, qui avait très peu confiance dans son propre jugement, confiait la plupart de ses grandes décisions au hasard. Malheureusement, quand elle tirait à pile ou face, elle choisissait toujours le mauvais côté.

Résolution n° 2 : s'affirmer.

Elle était trop discrète et on finissait par l'oublier. Désormais, il fallait qu'elle ne se laisse plus imposer des décisions qui n'étaient pas les siennes, quitte à ce qu'elle se fasse violence et dise – enfin – ce qu'elle avait dans le crâne. Son fils ne lui dicterait plus sa loi, se croyant l'unique adulte de la maison ; sa sœur aînée ne devrait plus compter seulement sur son aide pour se remettre dans le droit chemin ; son employeur arrêterait de la croire à son entière disposition.

Elle devait prendre du poil de la bête, et ce, même si elle était allergique aux chiens.

Résolution n° 3 : se coucher plus tôt !

Pour son travail, Rose se levait invariablement à 5 h 30, mais ne parvenait pas à se mettre au lit avant minuit passé. Résultat, la fatigue se lisait sur son visage, ce qui n'était pas du meilleur effet pour séduire. Il fallait qu'elle prenne soin d'elle et cela devait commencer par une hygiène de vie plus saine.

Au fond de son lit, Rose ne parvenait pas à lâcher son téléphone : elle continuait à espérer un SMS de son fils. À part sa sœur, terrassée par la grippe et qui avait dû annuler leur dîner, personne ne lui avait souhaité une bonne année.

Il exagère quand même.

Son fils Baptiste avait la permission exceptionnelle de rentrer tard, mais il aurait pu lui envoyer un message, au moins pour la rassurer. Rose savait que, désormais, elle n'était plus la première dans son cœur, et depuis quelque temps déjà. Qu'à cela ne tienne : en 2016, elle ne serait plus angoissée ! Ni seule ! Ni insomniaque !

03 h 45 !!! Déjà ?

2

Comme une vieille pomme *Granny Smith*

La semaine suivante, après une journée de travail interminable, Rose rentrait, avec l'un des derniers RER A, en direction de la gare de Noisy-le-Grand. Trempée et exténuée, mais contente d'être presque arrivée chez elle.

Avec son emploi de nounou à Paris, il lui arrivait souvent d'avoir de longues journées qui pouvaient commencer à 7 h 30 du matin et ne s'achever qu'à 21 h 30. Son parcours du combattant entre métro(s) et RER se rallongeait parfois, comme ce soir-là, quand un foutu accident de voyageur venait s'en mêler.

Il ne pouvait pas choisir un autre moment ! Heu… pardon, c'est horrible ce que je viens de dire… Je reprends. Le paaaaauvre !

Entre la gare RER et son immeuble, les rues étaient désertes. Seul un travailleur nocturne décrochait déjà les décorations de Noël. Elle n'avait croisé que des sapins abandonnés sur le trottoir, à qui elle n'avait pas eu le courage d'avouer le sort qui leur était réservé. On lui enlevait déjà les seules réjouissances qui égayaient, une fois l'an, son parcours le soir et le matin, tandis que, à n'en pas douter, comme chaque année, les radios lui casseraient les oreilles jusqu'à février, avec les chansons guillerettes de George Michael et de Mariah Carey, qui lui donnaient envie d'étrangler le premier qui croiserait son chemin.

Ne pas oublier de positiver !

Ce week-end-là, c'était décidé : elle irait au cinéma avec son fils.

S'accorder un petit plaisir de temps en temps ne pouvait pas faire de mal à son banquier.

Ils pourraient voir le dernier Tarantino : Baptiste lui en parlait depuis des semaines et, d'après l'affiche qu'elle avait aperçue dans le métro, le film venait de sortir.

La porte de son appartement était verrouillée à double tour. Ce n'était pas dans l'habitude de son fils de s'enfermer de l'intérieur. La jeune femme entra dans le petit trois-pièces et se dirigea immédiatement vers la chambre de Baptiste. Vide. Au salon, aucun mot laissé. À plus de 23 heures… Seul le bol de son petit déjeuner trônait encore sur la table basse, à côté du magazine ouvert à la page de l'horoscope. Son fils avait dû, lui aussi, vérifier ce que les astres lui réservaient. Rose parcourut les quelques lignes qui la concernaient : pour les Vierges, cela devait être une excellente semaine. Elle n'avait pas remarqué.

Elle rangea l'argent de ses heures supplémentaires dans sa boîte secrète, cachée parmi ses chaussettes. Comme à chaque fois, elle le mettait de côté pour les vacances d'été. Cette année, elle avait prévu une belle surprise : quelques jours à Londres avec Baptiste. Il l'avait mérité. Il avait été assidu dans sa formation hôtelière, s'était montré professionnel, mature, et il était quasiment certain d'être embauché après son stage. Elle était fière de lui, et fière d'elle aussi : cette réussite, c'était aussi un peu la sienne. Elle avait su lui donner une bonne éducation, sévère mais juste. Contrairement à tant de ses copains d'école, Baptiste, lui, n'avait pas mal tourné. Un gentil garçon, certes parfois un peu en rébellion, mais rien d'étonnant à son âge.

Vingt minutes plus tard, toujours personne. Rose grommelait. Entendre sa propre voix marteler des explications probables à l'absence de son fils la rassurait.

Mais non. Il va bien. Cela peut arriver d'oublier de prévenir. Maintenant qu'il est majeur, il se croit tout permis !

Rose saisit son téléphone portable. Pas de réponse à son texto précédent. Elle appela : le répondeur se déclencha aussitôt. 23 h 30.

15

Mais où pouvait-il bien être à une heure pareille ?

Avec sa formation en hôtellerie, il lui arrivait de finir après 21 heures, mais il l'avertissait toujours. S'il lui était arrivé quelque chose, elle ne s'en remettrait jamais. Il était toute sa vie.

Pourquoi n'a-t-il pas prévenu ? À moins qu'il n'ait plus de batterie...

Elle chercha frénétiquement dans la liste de ses contacts les numéros de téléphone des amis de Baptiste. Freddy, Thierry, Willy. Et... Jessica.

Encore elle, je parie !

En son for intérieur, Rose espérait qu'il n'était pas avec *elle*. Depuis qu'il la fréquentait, Baptiste avait beaucoup changé. Et pas en mieux. Il était de plus en plus souvent absent le week-end, préférant passer tout son temps avec Jessica plutôt qu'à réviser. Même quand il était là, il n'avait que son nom à la bouche.

Avec Rose, c'était devenu électrique : ils se disputaient constamment. Avant ça, jamais il n'avait été insolent. Mais Baptiste était prévenu : même à 18 ans, il n'avait pas le droit de passer la nuit entière chez sa petite amie. Pas tant qu'il vivrait sous son toit. Rose n'espérait qu'une chose : que son fils passe à la suivante. Cette *belle-fille*-là, elle ne la sentait pas !

La jeune mère célibataire continuait de fulminer. La faim avait laissé place à l'angoisse. Elle ne dînerait pas. Rose ramassa le bol que son fils avait abandonné et le récura énergiquement. Les céréales étaient incrustées sur les parois, et elle dut frotter plus que nécessaire. Le récipient subissait son inquiétude. Il manqua de se fêler quand elle le déposa sur la crédence de la cuisine. Machinalement, elle dressa la table pour son petit déjeuner à elle : un bol, puis à côté une cuillère à soupe et une orange. Elle aimait avoir l'impression que, en se levant le matin, si tôt, quelqu'un avait pensé à elle.

En attendant que son colocataire réapparaisse, Rose se réfugia dans son lit. Elle saisit la peluche qui trônait entre les coussins. Un petit lapin que Baptiste lui avait offert une dizaine d'années auparavant pour la fête des Mères. Sur le ventre de Lapinou était cousu « Pour Maman chérie que j'aime tant ». Quelque peu ironique venant de celui qui ne l'avait jamais appelée Maman. Elle ne pouvait même pas le lui reprocher : c'était de sa faute.

Parfois, en tant que parent, on improvise (souvent en fait) : et on oublie qu'une action irréfléchie, prise dans l'instant, peut avoir des conséquences indélébiles.

Rose se souvenait parfaitement de ce jour-là. À ses débuts en tant que nounou, alors qu'elle gardait son fils en plus d'autres enfants (ce qui n'est plus autorisé de nos jours), elle lui avait demandé de ne pas dire « Maman » devant ses petits camarades pour ne pas donner l'impression d'être privilégié.

Une décision prise sur le vif pour une sentence inéluctable : personne ne l'avait plus jamais appelée Maman. Sauf ce lapin, qu'elle gardait près d'elle pour les moments difficiles, quand elle en avait marre de faire semblant d'être la plus forte. Une peluche pour partager sa solitude. Un doudou pour Maman célibataire.

Rose était dans la salle de bains, elle se démaquillait, quand elle entendit le bruit de la clé dans la serrure. Baptiste ! Bien que l'angoisse ait fait place au soulagement, elle ne put s'empêcher de lâcher d'une voix aiguë :

— On peut savoir où tu étais ? Ça fait trois heures que tu devrais être rentré à la maison !

— Salut. J'étais chez Jessica.

— On avait dit pas en semaine. Tu commences à 8 heures demain et tu vas encore me dire que tu es trop fatigué pour aller en cours.

— Mais non, je ne serai pas fatigué.

— Pourquoi tu ne m'as pas prévenue ? J'étais morte d'inquiétude !

— Ça va ! Pas la peine d'en faire un drame. Je n'avais plus de batterie, c'est tout !

— Et Jessica, elle n'a pas de téléphone ?

— Bref. J'ai trop faim. On n'a pas eu le temps de manger. Y a quelque chose dans le frigo ?

— Je peux te préparer un truc si tu veux…

— Pendant que j'y pense, tu peux me donner un peu d'argent pour mon déjeuner de demain ? Il ne me reste plus rien.

Rose soupira. La désagréable impression de devenir un véritable distributeur automatique revint. Elle hésita : commencer une énième dispute avec son fils à ce sujet, ou céder, et profiter un peu de ces quelques minutes ensemble. Les seules de cette journée.

Elle lui tendit cinq euros.

— Merci… Tu n'as pas un peu plus ? J'aimerais bien emmener Jessica au cinéma ce week-end voir le dernier Tarantino.

Et puis quoi encore ? Tu ne veux pas cent balles et un Mars, pendant qu'on y est ?

— Tu ne crois pas que t'exagères, là ? Qu'est-ce que tu fais de l'argent de ton stage ? Responsabilise-toi un peu, Baptiste !

— Faudrait savoir : je suis trop vieux pour te demander de l'argent de poche ou trop jeune pour dormir chez ma petite copine ?

— Eh oui, la vie est injuste ! Et puis, ce week-end, j'avais envie de passer un peu de temps avec toi. On ne se voit presque plus

— Justement, Rose, il faut que je te dise un truc.

— Oh, je n'aime pas quand tu prends ta voix, comme ça. Tu me fais peur, Baptiste.

— Assieds-toi, s'il te plaît.

— Je te préviens, il est hors de question d'abandonner ta formation. Tu vas jusqu'au bout cette fois !

— Non, ne t'inquiète pas, ce n'est pas ça…

— Alors quoi ? Qu'est-ce qui se passe ?

— Avec Jessica, on a décidé de vivre ensemble, je vais m'installer chez elle.

3

La vie est une dure lutte !

Rose avait fait un malaise. Le deuxième en moins de vingt-quatre heures. Elle était assise là, sur le sofa de ses employeurs, et s'était mise à voir trouble. Ses pensées étaient confuses.

Elle se rappelait ne pas avoir fermé l'œil de la nuit après la difficile nouvelle que lui avait assénée son fils la veille au soir.

Dans son lit, elle s'était tournée et retournée, cherchant à comprendre. Elle s'était torturé l'esprit jusqu'à voir l'aube apparaître à travers la fenêtre de sa chambre. Rose avait naïvement cru que les conflits avec Baptiste finiraient par passer. Tout comme son obsession pour cette maudite Jessica. Elle avait l'impression d'avoir manqué quelque chose. Peut-être avait-elle été trop dure avec lui ces derniers temps ? Pas assez à l'écoute ? Quel genre de mère fait fuir son fils ?

Voilà qu'elle reprenait son plus mauvais réflexe : culpabiliser.

Elle se revoyait ensuite dans le premier RER du matin, essayant d'encaisser la nouvelle, au milieu des travailleurs de nuit qui rentraient se coucher. Elle se rendait chez les parents du petit Léon pour prendre la relève de la mère qui devait partir très tôt à son travail.

Elle se souvenait d'avoir accepté la proposition – rare – de boire un café avec la jeune femme. Cela l'avait surprise, d'ailleurs. Bien qu'entretenant des rapports très cordiaux avec sa patronne, elle n'était pas du genre à lui demander de ses nouvelles. Il n'y avait rien de personnel dans leurs relations. Elles ne se croisaient qu'en coup de vent et leurs échanges se résumaient à faire le point sur les selles de Léon, sa résistance à goûter aux légumes verts ou ses poussées dentaires. Rose avait d'abord cru que, pour une fois, la maman du petit Léon avait fait attention à elle, qu'elle avait senti son bouleversement intérieur, qu'elle s'était dit que c'était le moment pour un échange, de femme à femme, de mère à mère. Un simple échange humain et bienveillant qui dépasserait le rapport employeur-employée.

Rose, un peu gênée de ce moment inhabituel, confessa son attachement très fort pour le joli bébé d'un an, qui était devenu le soleil de ses journées, surtout ces temps-ci… Et là, tout lui revint ! Comme une claque.

C'est un mauvais rêve. Ça n'est pas possible. Pas mon chouchou. Pas après la terrible année que je viens de passer. Pourquoi est-ce qu'ils m'abandonnent tous ? D'abord Papa. Ensuite Baptiste et maintenant Léon.

— Rose, tout va bien ? Je vous disais que c'est une incroyable opportunité pour nous. Mon mari part dès le mois prochain. Léon et moi le rejoignons dans quelques semaines. Le temps de faire un passeport au petit et de finir nos cartons. Que de changements ! Nous sommes très excités. Ça s'est décidé très vite…

Mais bien sûr ! Tout quitter pour partir à l'autre bout du monde avec un bébé, ça s'improvise !

— Bien évidemment, vous allez énormément nous manquer, surtout à Léon. J'ai déjà rédigé votre lettre de recommandation. Dans le quartier, une perle comme vous n'aura aucun problème pour retrouver une nouvelle famille. J'en suis certaine !

Trouver un emploi est un jeu d'enfant, trois millions et demi de chômeurs vous le confirmeront.

— Je me réjouis pour vous, même si je suis un peu triste de quitter mon Léon. C'est très gentil pour la lettre. D'ailleurs, si vous connaissez quelqu'un qui pourrait être intéressé par mes services, je veux bien que vous lui donniez mon numéro. Je fais également des heures de ménage le week-end. Si vous entendez parler de quoi que ce soit, je suis preneuse.

— J'ouvre les oreilles, alors. Je file, Rose. On se voit ce soir. Je pense rentrer tard, encore. Cette semaine est horrible et elle n'en finit pas !

À qui le dites-vous ?

4

Ça me fait une belle jambe !

Dans la pénombre de la chambre de Léon, Rose ramassa le petit livre abandonné par terre. *Cendrillon*. Les ronflements du petit garçon étaient réguliers et profonds. Il n'allait pas se réveiller de sitôt.

Alors qu'elle rangeait l'ouvrage, elle s'arrêta sur les lignes finales : « Ils se marièrent, vécurent heureux et eurent beaucoup d'enfants. » Même ce conte lui promettait que tout finirait bien. C'est vrai que, entre le « Il était une fois » et cette dernière phrase, Cendrillon avait connu beaucoup de galères. Parfois les mêmes que les siennes. Perdre sa mère très jeune, s'occuper seule de la maison, nettoyer, prendre soin des autres. Il ne lui manquait que sa bonne fée.

Je me demande bien ce qu'elle fabrique, celle-là !

Rose ne céderait pas à la tentation de se plaindre pour autant, elle avait la chance d'avoir Lili. Une grande sœur formidable, une véritable amie. Sa seule amie, en réalité. Elles s'appelaient presque chaque jour pour se raconter leurs petits riens. Et elles se réservaient le vendredi soir pour se retrouver, juste entre elles. Leur petite part de bonheur familial. Elles tenaient à préserver ce rituel depuis la disparition de leur père. Lili était la seule famille qui lui restait.

Comme deux perruches inséparables (ou deux vieilles filles)!

Rose avait d'abord plutôt bien réagi lorsque sa sœur lui avait appris la « nouvelle » : Lili allait déménager en fin d'année à l'autre bout de la France. Elle avait été promue dans son cabinet d'avocats pour prendre la tête de l'antenne marseillaise. C'était la récompense d'années d'efforts et de sacrifices. Sa sœur s'était donnée corps et âme à son travail et elle en récoltait enfin les fruits. Elles avaient fêté ça toutes les deux et c'était réconfortant d'avoir enfin quelque chose à célébrer après les durs moments qu'elles avaient eu à traverser.

Mais Rose avait finalement pris conscience que sa sœur allait s'éloigner. Et ce n'était jamais arrivé. Maintenant que tout s'écroulait autour d'elle, Rose comprenait que, sans Lili à ses côtés, elle se sentait incapable d'affronter la vie. Elle allait devoir apprendre à vivre sans sa compère.

Une phrase de son père lui était revenue en tête : « Ne pas mettre tous ses œufs dans le même panier. »

Rose n'avait pas d'amis et était rarement entourée d'adultes. Elle ne voyait rien de professionnel à papoter au parc avec les autres nounous du quartier, ni à s'arrêter prendre un café, même quand le petit dormait dans sa poussette. Les enfants passaient toujours avant le reste. Même avant son bonheur ou ses envies à elle.

Elle embrassa le petit dormeur sur le front et sortit discrètement de la chambre. Elle venait de s'asseoir sur le canapé, quand soudain son téléphone se mit à vibrer. Lili.

Quand on parle du loup…

La jeune nounou, qui ne prenait jamais de coup de fil personnel pendant son temps de travail, se ravisa en se souvenant que sa sœur la rappelait sûrement suite à son SMS du matin à propos de Baptiste et du petit Léon. Comme toujours, la discussion s'enclencha avec passion, sans introduction, comme si elles continuaient une conversation commencée quelques minutes auparavant :

— Fallait bien que ça arrive un jour ! C'est plus un bébé !

— Alors non, Lili, ce n'est pas du tout ce que j'ai besoin d'entendre. Il faut que tu lui parles.

Je t'avais dit que cette fille avait une mauvaise influence.

— Ton Baptiste est devenu un jeune homme. Il a 18 ans ! Tu ne peux plus continuer à le couver comme ça ! Et puis ne dramatise pas trop. Peut-être qu'il a juste besoin de prendre un peu d'indépendance…

— Mais il est indépendant ! Il va même sûrement décrocher un CDI après son stage !

— Tu sais bien qu'il s'agit d'autre chose ! À 18 ans, il ne peut même pas découcher ! Il a besoin d'air !

— Dis tout de suite que je l'étouffe !

— Ce n'est pas ce que j'ai dit non plus… Allez, ne t'en fais pas trop. Ce n'est pas si mal finalement, le laisser s'installer chez sa Jessica, c'est peut-être la meilleure façon de le faire revenir…

— Comment ça ?

— Il a 18 ans, je te dis ! Au bout d'un mois avec lui 24 heures sur 24, elle ne le supportera plus et il reviendra chez maman en courant, tu verras !

— Un mois ? C'est trop long ! Je ne tiendrai jamais aussi longtemps !

5

La cerise sur le gâteau

Les chansons de George Michael et de Mariah Carey avaient fini par saouler les stations de radio vers la fin février.

Baptiste était parti. C'était le déménagement le plus discret de tous les temps. Jour après jour, pendant que Rose était à son travail, il transportait ses vêtements dans un sac de sport qu'il emportait plein le matin et rapportait vide le soir. Il n'avait décidé de prendre que le nécessaire pour s'installer chez Jessica. Il ne voulait pas s'embarrasser avec des vieilleries ou des souvenirs d'école. Désormais, il était décidé à construire sa vie d'homme.

Pendant cette période, Rose n'avait plus osé aborder le sujet. Elle fuyait le conflit. Ils ne discutaient que de choses futiles, parlaient de leurs horaires, de la pluie et du beau temps.

Elle sentait bien que Baptiste était nerveux. Il évitait de dîner en même temps qu'elle pour ne pas avoir à affronter les fausses politesses qu'ils s'échangeaient tous les deux depuis quelques jours.

Cela avait été si subtil, si progressif, que Rose avait même caressé en secret l'espoir qu'il ait changé d'avis.

Après tout, à cet âge-là, on cherche à provoquer. Peut-être que tout cela n'était qu'une manière de dire à sa mère qu'il voulait être libre et qu'il ne la quittait pas pour de bon. Et si Baptiste bluffait ?

Si c'était le cas, son fils ferait un joueur de poker épatant.

Ce soir-là, au retour de Rose, un étrange silence régnait.

Elle s'était décidée à pousser la porte de la chambre de son fils, bien qu'elle n'eût plus accès à cette pièce depuis des mois. Baptiste ne supportait plus ses intrusions dans son intimité, même pour le ménage. Et Rose s'y était résignée. Pour la première fois depuis longtemps, elle avait donc osé entrer dans la chambre. Elle était vide.

6

Je peux pas, j'ai piscine !

Le lendemain était le jour du grand départ pour le petit Léon. Les dernières semaines avec le bout de chou étaient passées à la vitesse de la lumière. Rose avait été la plus émue. Le petit garçon n'avait pas compris pourquoi tout le monde avait les larmes aux yeux. Lui, il voulait son crocodile. Il avait eu droit à son baiser habituel sur le pas de la porte, encombré ce jour-là de cartons, et cette même porte s'était définitivement refermée sur Rose.

Rose avait connu tout cela auparavant. Cet attachement profond à de petits êtres en devenir, qui immanquablement finissaient par aller vivre leur vie, ailleurs, sans elle. Elle avait essayé de ne pas s'attacher, mais, à chaque fois, en découvrant leur fragilité et leur innocence, elle retombait dans le panneau et donnait tout son amour, sans retenue, comme s'ils avaient été ses propres enfants.

Elle savait qu'elle aurait mieux fait de s'économiser en sentiments, de ne pas s'investir, de garder ses distances. Mais comment résister face à ce petit corps chaud contre son cœur ou à son odeur de lait ? Est-ce vivre que de se retenir de donner, de s'émouvoir, de rire ? Rose avait préféré s'autoriser malgré tout à aimer sincèrement, même si elle savait qu'elle souffrirait d'une nouvelle séparation, qu'elle était bien peu de chose pour les familles et que ces gens ne penseraient pas à elle quand ils décideraient de s'en aller là où le destin les porterait.

Rose se contentait de dire « Félicitations » et de serrer les dents. Tant pis pour le pincement au cœur ! C'était le même qu'elle ressentait chaque fois qu'elle repensait à son premier amour. La première blessure à l'âme. Indélébile.

Un nouveau départ s'offrait à elle. Il fallait absolument qu'elle reste forte et, surtout, qu'elle garde le moral. Elle devait voir le côté positif, comme le lui rappelait souvent son père. Voir l'opportunité de remplir le verre jusqu'en haut !

Il avait beau être plus de 18 heures, la journée de Rose était loin d'être finie. Il lui restait encore deux heures de ménage chez les voisins d'en face. Un couple de sympathiques septuagénaires qui accueillaient de la famille le lendemain. Ils s'étaient toujours montrés respectueux envers elle, ce qui n'était pas le cas de tous, et elle aimait leur donner des petits coups de main de temps en temps.

De son grand sac à main, elle sortit une tenue plus confortable, qu'elle enfila, glissa ses pieds dans des tongs et mit un peu de musique au bout de ses écouteurs. Elle frotta, secoua et astiqua. Elle fit place nette. Comme si sa vie en dépendait. Elle dépoussiérait sa propre existence, jusqu'à ce que cela sentît le propre. La bonne odeur Fleur de Coton au sol, le parfum Mains sensibles laissé sur chaque assiette. Un petit nid douillet. Nickel. Mieux que chez elle.

Chez les autres, elle s'assurait que le lit était bien tiré à quatre épingles. Les draps frais. Les pièces aérées en grand. Les oreillers regonflés, les chaussons chauffés sous le radiateur, puis replacés près des chevets. Les produits de beauté parfaitement alignés. Nets. Les chaussettes propres rassemblées par paires, les sousvêtements pliés, le linge de maison repassé. Ce qu'elle avait toujours fait pour son fils. Rarement pour elle-même.

En dépoussiérant, elle ne pouvait s'empêcher de redonner vie à la maison. Elle redressait les cadres des photos et recréait sur le buffet des familles souriantes. Elle rangeait les livres et exposait ceux qui correspondaient, selon elle, aux habitants des lieux. Elle rassemblait les cartes postales et, un instant, voyageait de destination en destination, faisant son premier tour du monde. Elle qui n'avait jamais pris l'avion. L'Inde, la Corée, le Japon, l'Italie…

Même si faire le ménage n'était pas sa vocation, elle s'appliquait à faire son travail au mieux. Plus qu'une fée du logis, elle se voulait être une sorte de bonne fée. Celle qui s'efforçait de rendre la vie des autres plus agréable et plus douce. À ses yeux, un foyer propre et accueillant, c'était le début du bonheur. Rose avait l'âme romantique, elle parvenait à mettre de la poésie dans le ménage et s'imaginait qu'elle remplaçait les grains de poussière par quelques grammes d'amour.

Rose aimait donner le sentiment nostalgique que l'on éprouve quand on retourne dans la maison où l'on a grandi. Une odeur familière d'abord. Le bonheur simple de constater que chaque chose est restée à sa place. Comme des repères stables, témoins d'un amour invariable. De remarquer ensuite les petits changements, les nouvelles photos, les bibelots qui démontrent que la vie a continué de s'écouler, même sans les enfants à la maison. Oui, quand elle tira la porte derrière elle, Rose avait laissé les choses bien mieux encore qu'elle ne l'aurait fait chez elle.

Et son cactus déplumé pouvait confirmer !

Dans le vestibule, les sacs-poubelle à la main, la jeune femme fut abordée par une dame élégante d'une cinquantaine d'années, qu'elle n'avait jamais vue auparavant. Celle-ci, en revanche, eut l'air d'en savoir plus sur son compte, au vu de sa question lancée à brûle-pourpoint :

— Est-ce bien vous qui vous occupez de Léon ?

— Euh, oui. Bonjour madame. C'est moi, pourquoi ?

— J'ai un travail à vous offrir. C'est très bien payé. Et comme j'ai cru comprendre qu'après le départ de la voisine vous alliez sûrement vous retrouver le bec dans l'eau…

La délicatesse est en option chez elle ?

— Passez lundi à 18 heures au quatrième étage. Je m'appelle Véronique Lupin, dit-elle en tendant une carte de visite sur laquelle étaient griffonnés quelques mots que Rose fut bien incapable de décrypter.

Bien qu'elle lui eût fait immédiatement mauvaise impression, Rose ne pouvait se retenir d'être admirative. Les gens qui dégageaient autant d'assurance lui faisaient cet effet-là. Au fond, elle aimerait, parfois, se le permettre. Ne pas s'excuser d'exister. Cette femme avait une telle confiance en elle qu'on eût dit qu'elle venait de découvrir le vaccin contre le sida. Rose enfouit le bout de papier dans son sac et, devant le très probable futur Prix Nobel de médecine, déclina poliment l'offre :

— C'est très gentil à vous, madame Lupin. Je suis désolée, mais je voudrais d'abord régler quelques soucis familiaux… Et puis, j'ai d'autres employeurs que la mère de Léon, avec qui il faudrait…

— À lundi alors.

Sans s'en rendre compte, Rose répondit :

— Euh… oui… à lundi.

7

Est-ce que je te demande
si ta grand-mère fait du vélo ?

Au fond de son lit, face au regard vide de
Lapinou, qui n'avait manifestement aucune
réponse à toutes ses questions existentielles,
Rose essaya de rappeler sa sœur, qui n'avait
pas été joignable depuis le départ de Baptiste.
Celle-ci lui avait seulement envoyé un SMS laconique. Lili décrocha enfin et, sans préambule, la
conversation s'emballa immédiatement :

— Je touche le fond. Qu'est-ce que je peux
faire pour réparer les choses avec Baptiste ? J'ai
peur qu'il ne revienne pas. Il ne répond plus à
aucun de mes messages depuis son départ chez
Jessica.

— Les choses s'arrangent toujours ! C'est toi
qui me répètes ça à longueur de temps. Je t'ai
connue plus optimiste !

— J'ai un mauvais pressentiment…

— Ah non, je t'en prie, pas encore tes histoires de superstition !

— Je me sens seule. Et je n'arrive plus à dormir. En mode métro, boulot, Xanax !

— Essaie plutôt la verveine, c'est inoffensif, ça, la verveine ! Il faut que tu changes d'air, Rose. Tu dois vivre pour toi. Et Baptiste, il faut qu'il comprenne que tu ne peux pas être seulement sa mère quand ça lui chante. Tu as entamé tes recherches de boulot ?

— Bah non, toujours pas… Il y a cette femme bizarre qui m'a proposé un truc, mais je n'ai rien compris. Je crois que la mère de Léon lui a parlé de moi.

— Vas-y, raconte.

— On n'a pas échangé très longtemps. Elle savait que je m'occupais de Léon et elle m'a refilé sa carte, sur laquelle elle a décrit son « offre ». Elle veut que je passe lundi, pour un entretien, je suppose. En tout cas, elle m'a donné la chair de poule.

— Pourquoi ? Elle est laide à ce point ?

— Je ne sais pas, je ne la sens pas. J'en ai vu, des gens bizarres, dans ma carrière, mais des comme ça, rarement. Et puis, elle ne m'a pas laissé en placer une. J'ai besoin de travailler, mais je ne suis pas prête à vendre mon âme au diable !

— Tout dépend du tarif.

— Elle a dit que c'était très bien payé.

— Voilà ! Et puis, ce n'est pas comme si en ce moment tu pouvais te permettre de faire la fine bouche. Sois positive ! Ce n'est pas ce que disait ton horoscope chinois ? « Prise de risques et efforts individuels », si j'ai bonne mémoire. Ça n'arrive pas tous les jours, qu'un travail tombe du ciel ? Essaie ! Au pire, tu démissionneras. Ça peut être la solution à tes problèmes ! Tu prends le job à temps plein, pendant deux mois, et tu amasses un max d'argent pour te faire un peu plaisir. Lis-moi son offre !

— Attends. Ça doit être quelque part dans mon sac. Elle a une écriture de médecin, je n'ai pas réussi à la lire…

— Envoie-moi une photo ! Je déchiffrerai !

Lili avait toujours de bons réflexes, pensa Rose tandis qu'elle capturait la carte de visite de Véronique Lupin.

— Alors… *Recherche dame de compagnie. Personne de confiance disponible dès que possible. À temps plein. Sept jours sur sept, nuit comprise. Studio de fonction, Paris. Rémunération : 3 500 € la semaine.* Waouh ! C'est plus que bien payé ! Soit ils sont très riches, soit il y a anguille sous roche…

8

Bocal dans le poisson

Quand Rose sonna à la porte, à 18 heures tapantes le lundi suivant, ce fut une Véronique Lupin toute pressée qui lui ouvrit.

— Ah, bonjour. Pile à l'heure. Vous marquez des points, vous ! Bon, je file. Elle vous attend quelque part à l'étage. Je vous ai laissé un mot avec les différents menus. Déjà préparés, vous verrez. Je pense rentrer demain en fin d'après-midi : Cannes, c'est toujours ennuyeux à mourir et, avec Richard, on essaie d'écourter notre séjour au minimum. Si besoin, la clé de secours se trouve sur le palier, collée sous le compteur électrique. En cas d'urgence, vous avez mon numéro ! Bon courage !

Le contrat ? Les conditions ? Le contenu du job ? La réponse officielle ? La présentation ? Le tour du propriétaire ? Me demander si j'allais

bien ? Si j'avais des questions ? Si j'avais un nom ?
Un prénom ? N'y avait-il pas autre chose à dire
que « Bon courage » ?

Quand Rose se retrouva seule dans l'immense
séjour de l'appartement, elle fut estomaquée par
la propreté des lieux. Rien ne traînait, pas un
gramme de poussière. *Ils doivent avoir une femme*
de ménage qui passe chaque jour. Tel un loft, les
cloisons avaient été abattues. Et chaque meuble,
chaque recoin semblait avoir été étudié par un
designer. C'est sans nul doute le plus bel appartement dans lequel elle ait jamais mis les pieds.
Et encore, elle n'en avait vu qu'une infime partie.
La pièce baignait dans une lumière filtrée par des
stores modernes, mais il y faisait un froid polaire.

À pas feutrés, Rose chercha l'escalier qui la
mènerait à son mystérieux hôte. Pas la moindre
trace. Pas le moindre indice. Il régnait un calme
gênant, une atmosphère presque angoissante,
un de ces silences qui précèdent un drame dans
les films d'horreur. Impossible de croire que
quelqu'un puisse habiter entre ces murs et rester
ainsi sans faire de bruit. Rose se donnait encore
cinq minutes avant de déguerpir. Pas du tout à
l'aise, elle se sentait même observée.

Elle s'éclaircit la voix avant d'oser :

— Bonjour, il y a quelqu'un ?

Elle passa de pièce en pièce en quête d'une
éventuelle trace qui la renseignerait un peu plus

sur ce que l'on attendait d'elle. Méthodique-
ment, elle ouvrit chaque porte, chaque placard.
Elle avait l'impression d'être entrée dans un
appartement témoin du catalogue IKEA – celui
des riches, car, de toute évidence, Véronique
Lupin ne s'approvisionnait pas au même endroit
que Rose. Tout était assorti par couleur, trié par
taille, plié au millimètre. Pas la moindre imper-
fection. Comme si rien d'humain n'était passé
par là avant elle. Du reste, il n'y avait aucun escalier pour la conduire à l'étage.

Tant pis. Elle aurait essayé. L'ambiance devenait insupportable et Rose se découvrait claus-
trophobe dans cet appartement qui pourtant
ne manquait pas d'espace. Elle décida de quitter les lieux, tirant la porte pour la faire claquer
derrière elle, quand celle-ci refusa de se fermer.
Elle voulut claquer plus fort, mais rien n'y fit. Il
y avait une résistance.

Elle ne pouvait tout de même pas s'en aller en
laissant la porte grande ouverte. Elle s'agrippa
alors à deux mains sur la poignée avant d'aller
voir de l'autre côté, et… elle tomba nez à nez
avec un petit bout de femme, qui s'accrochait de
tout son poids pour empêcher la fermeture. Rose
sursauta en poussant un petit cri aigu.

— Vous m'avez fait peur ! Mais qui êtes-
vous ? Et pourquoi retenez-vous la porte,
comme ça ?

— C'est évident, non ? Pour vous empêcher de partir.

— J'ai fait le tour de l'appartement sans trouver personne ! Vous vous cachiez ?

— Pas du tout. J'ai passé l'âge de jouer à cache-cache. Vous vous êtes lavé les mains ?

— Comment ?

— Est-ce que vous vous êtes lavé les mains depuis votre arrivée ? Je vous ai vu toucher à tous les placards et toutes les huisseries. Je parie que vous êtes venue en métro ! On va devoir désinfecter tout l'appartement. Tenez, prenez un peu de gel antibactérien.

Rose observa la main gantée de latex qui lui tendait le flacon. Son interlocutrice était vêtue de blanc, de la tête aux pieds. Si elle n'avait pas eu cet air paniqué qui lui crispait le visage, on aurait tout de suite remarqué sa beauté. Elle devait avoir autour de 70 ans et tout laissait encore deviner la jolie jeune femme qu'elle avait été : ses traits fins, sa silhouette élancée, svelte, ses cheveux blonds, coupés court, encore mouillés.

— Je vais vous montrer où sont les produits ménagers, et comment désinfecter vos affaires. Moi, je vais prendre une douche. N'oubliez pas de bien astiquer les serrures. Ce sont des nids à microbes. Et donnez-moi votre portable, s'il vous plaît.

— Je ne comprends pas… Mon portable ?
Pourquoi ?

— Parce que nous ne pouvons pas prendre le
risque que vous décrochiez et oubliiez de vous
relaver les mains. Il faut décontaminer votre téléphone. Ce sera plus sûr.

La petite dame disparut. Rose était dépassée
par cette situation grotesque. Elle avait même
levé la tête pour scruter les angles du plafond, à
la recherche de caméras cachées, mais rien !

Après plusieurs minutes d'attente, Rose avait
fini par se rendre à l'évidence : personne n'avait
surgi d'un placard en riant pour lui montrer du
doigt dans quels recoins on avait planqué les
caméras.

Rose n'était pas supposée faire le ménage.
Non pas que cela la dérangeait, surtout pour le
salaire hebdomadaire dont on lui avait parlé et
pour le peu de travail que cela lui demanderait
vu l'état de l'appartement. Brusquement, elle
s'était remémoré la carte de visite. Lili avait-
elle vraiment bien lu la mention de Véronique
Lupin ? Elle se rappelait parfaitement avoir
entendu sa sœur lui dire au téléphone : « Dame
de compagnie ».

Rose partit à la recherche de la vieille dame,
qui avait disparu aussi vite qu'elle était appa-
rue. En vain. Elle entendait le bruit de l'eau qui
coulait dans la douche, au-dessus d'elle, mais

toujours aucun escalier en vue. Quand son inter-locutrice se glissa derrière elle, en silence, Rose sursauta.

— Arrêtez de vous faufiler comme cela ! Vous me faites peur !

— Vous n'avez pas commencé à récurer ?

— Pouvez-vous me rendre mon téléphone, s'il vous plaît ? J'aimerais appeler quelqu'un.

— Non.

— Comment ça, « non » ?

— Non, il trempe.

— Quoi ? Vous avez mis mon portable dans l'eau ?

— Non. Certaines pièces de votre appareil sont en train de sécher, d'autres trempent encore.

— Mais enfin, on ne fait pas tremper un télé-phone ! J'en ai besoin ! Et si on essayait de m'appeler ? Je dois rester joignable en cas d'urgence. Rendez-le-moi… Allez… s'il vous plaît !

— Hors de question ! Désolée, il est confis-qué jusqu'à nouvel ordre. Et puis, vu le peu d'appels que vous recevez, il n'y a pas de risque que vous manquiez quoi que ce soit…

— Vous avez fouillé dans mon portable ? Je rêve ! Je ne sais même pas ce que je fais ici. Rendez-moi mes affaires, s'il vous plaît. Je m'en vais.

— Non.

— Comment ça, non ? répéta Rose. Vous ne pouvez pas me retenir de force !

Les deux femmes se toisèrent. Chacune soutenait le regard de l'autre, espérant une réaction, lorsqu'un chien sorti de nulle part, comme une sorte d'apparition mystique, passa lentement entre elles et se frotta à la jeune femme. Surprise par l'intrusion de l'animal dans la pièce, elle lui adressa un « pschitt » autoritaire pour le faire fuir. Le cabot, impressionné, déguerpit à toute vitesse vers une des nombreuses pièces de l'appartement

— S'il vous plaît, je ne partirai pas sans mon téléphone. Où l'avez-vous mis ? Je vous préviens, si vous ne me le donnez pas, je… je me crache dans les mains et je touche à toutes les poignées de l'appartement ! Et Dieu sait qu'elles sont nombreuses !

— Vous n'oseriez pas !

— Ah bon ? Et qu'est-ce qui vous fait dire ça ?

Rose essayait de rester ferme, mais un léger tremblement dans sa voix la trahissait.

— On le voit tout de suite que vous êtes le genre de femme qui n'ose pas.

La remarque de la vieille dame l'avait piquée au vif. Comment cette femme qui avait l'air à moitié cinglée et qu'elle venait à peine de rencontrer avait-elle pu déceler son problème le plus intime, le plus profond ? Cela se voyait-il tant que ça ?

Rose ne baissa pas les yeux. Dans sa tête résonnait la mélodie d'Ennio Morricone dans le film *Le Bon, La Brute et le Truand* !

— Ah oui ? C'est ce qu'on va voir, continua-t-elle, dans un raclement de gorge bruyant.

— Non, vous ne le ferez pas. Et puis… « Rose », vous auriez du mal à repartir sans votre titre de transport… défia la vieille dame en exhibant soudain le passe Navigo de Rose, qui dégoulinait encore de son passage en zone de décontamination.

9

Rendre son tablier

La soirée avait duré une éternité. Éreintée par son duel psychologique avec cette septuagénaire toquée, Rose n'était pas mécontente d'être enfin rentrée chez elle. Les quelques heures passées en tant que dame de compagnie l'avaient déstabilisée, notamment quant au rôle que l'on attendait d'elle. La vieille dame, après s'être douchée de nouveau, avait nettoyé énergiquement les plinthes et les poignées de la salle de séjour. Rose, ne sachant que faire d'autre, avait fini par l'aider, bien qu'elle ne vît pas très bien comment il était possible de rendre ces surfaces encore plus propres que propres.

Ensuite, Madame Lupin était simplement allée se coucher après avoir souhaité bonne nuit à

Rose comme si de rien n'était. Elle n'avait pas été plus bavarde que cela. Rose ne connaissait même pas son prénom.

Le silence qui emplissait l'appartement de Rose ce soir-là lui avait paru insupportable. Son petit chez-soi lui semblait vétuste, étroit, étouffant. Elle n'aurait su dire si c'était à cause de l'absence de son fils ou de l'immense espace design dans lequel elle avait passé la fin de journée. Rose avait pris l'habitude depuis quelques nuits de se lover dans le lit de Baptiste. Elle observa la seule photo d'eux qui traînait sur le bureau. Elle avait été prise deux ans auparavant, au Pays basque. Un selfie, tous les deux, tout sourire. Baptiste ne la dépassait pas encore en taille. Non, à cette époque, Rose n'était pas encore dépassée. Elle se souvenait que c'était cet été-là qu'il avait décidé d'entrer en formation d'hôtellerie. Depuis le camping où ils avaient séjourné, il avait lorgné sur l'hôtel du Palais de Biarritz toutes les vacances. Une envie, sans doute, de se rapprocher d'une vie de paillettes qu'elle ne pouvait pas lui offrir.

Malgré l'heure tardive, le portable de Rose sonna. Elle se précipita pour l'attraper, espérant de tout son cœur qu'il s'agisse de Baptiste. Sur l'écran s'affichait une photo de sa sœur, qui tirait la langue avec espièglerie. Lili avait choisi ce cliché parmi tant d'autres pour accompagner chacun de ses appels. Rose décrocha :

— Alors, ce nouveau job ?

— Ne m'en parle pas. Une cata ! Je n'y retourne pas demain, ça, tu peux en être sûre.

— Pourquoi ?

— Je te l'avais dit que je ne la sentais pas, cette Véronique Lupin. Eh bien, sa mère, c'est pire, mais dans un autre genre. Le genre dérangé.

— Dérangée, comment ?

— Tu vois, quand tu as une cystite et que tu ne peux t'empêcher d'aller faire pipi tout le temps ? Eh bien, elle, c'est pareil : elle se lave les mains toutes les dix minutes. Une malade de la propreté. Et pendant que j'étais là-bas, elle a bien pris quatre douches !

— Ça va… Ce n'est pas comme si elle n'avait plus toute sa tête.

— Eh bien, si, figure-toi ! Pas le genre à trembloter en se bavant dessus, mais avec un grain quand même. Elle n'arrêtait pas de me répéter qu'elle n'avait pas besoin de moi. Que je faisais erreur, que sa fille n'embaucherait jamais personne pour prendre soin d'elle. Je lui ai proposé de sortir faire un tour : elle s'est mise à s'accrocher à la poignée de la porte en hurlant qu'elle ne voulait pas sortir, plus jamais !

— Et tu pensais sérieusement qu'on embauche une dame de compagnie pour les cas faciles. Elle t'a dit quoi, la Véronique ?

— Elle ? Rien, je te dis. Je suis arrivée qu'elle partait aussitôt, en m'abandonnant avec la folle sans aucune instruction. Ah si, pardon, il y avait un menu. Que des petits plats Lenôtre : le midi, du foie gras ; le soir, une espèce de purée avec des œufs de lompe.

— Non, mais attends… La fille t'a laissée seule avec sa mère dans son appartement ? Alors qu'elle ne te connaît même pas ?

— C'est exact. Elle ne revient que demain en fin d'aprèm.

— Tu n'étais pas censée y rester dormir et t'en occuper ?

— Je ne sais pas trop : elle ne m'a rien précisé…

— Mais tu dérailles, Rose. Pourquoi crois-tu que ce travail soit logé ? Tu es censée y dormir pour prêter main-forte en cas de besoin. Là, c'est non-assistance à personne en danger ! Tu pourrais prendre cinq ans de prison.

— En danger de quoi ? Arrête de faire ton avocate ! Et puis, je n'ai même pas signé de contrat, rien ne m'engage devant la loi.

— Et ta conscience ? Si elle met le feu à l'immeuble en essayant de se faire à manger ?

— Mince ! Tu as raison. Je te rappelle quand j'y suis. Je devrais arriver à attraper le dernier RER de minuit. En revanche, quand Véronique Lupin rentrera demain, je les laisse à leur foie gras et à leurs œufs de lompe !

— Je pense qu'il s'agit de caviar, ma belle…

10

Pas folle, la guêpe !

Quand Rose pénétra chez Véronique Lupin avec la clé de secours, elle trouva la vieille femme assise sur le canapé blanc, en déshabillé, les yeux dans le vide. Elle paraissait très calme. Loin de l'agitation du jour.

Rose se sentit gênée. Elle avait l'impression d'être une intruse dans l'intimité de cette personne âgée, et l'appartement continuait de lui ficher une peur bleue. Entre les meubles design, probablement choisis par Véronique Lupin, le rangement impeccable, sans poussière, et le froid polaire de l'air conditionné, la vie semblait avoir fait marche arrière. Même le bonsaï, unique plante de l'appartement, était nu comme un arbre en hiver.

Près de la mère Lupin se lovait le petit toutou que Rose avait houspillé toute la soirée avant de rentrer chez elle. Elle était allergique aux chiens et ils devaient le sentir, car, inexplicablement, ils finissaient tous par venir se frotter à elle, lui laissant plein de poils sur les vêtements. Ce Loulou de Poméranie ne manquait pas à la règle. Dès qu'il la voyait, il s'approchait pour lui sauter dessus.

— Oust, *Microbe* !

Au son de sa voix, la vieille dame sortit de sa torpeur et tourna la tête vers la jeune femme, qui lui sourit timidement.

— Vous vous souvenez de moi ? Je suis Rose, la femme qui s'occupe de vous.

— Je n'ai pas Alzheimer, vous savez. Je sais très bien qui vous êtes. Vous êtes celle qui n'a pas d'amis. Celle qui pense être là pour s'occuper de moi, et qui pourtant m'abandonne à la première occasion.

— Euh…

— Je suis peut-être vieille, mais je ne suis pas folle. Juste pointilleuse sur la propreté et pas vraiment à mon aise dans le monde extérieur. Ma fille croit que « je fais du cinéma ». Bref, on évite de se croiser. Je vis la nuit et elle le jour. C'est mieux ainsi.

La toute petite dame alla à la cuisine et revint avec une énorme charlotte aux fraises.

— Vous en voulez ? Je l'ai faite quand vous avez *fui*. Je ne sais pas ce qui vous a pris, tout à l'heure, d'essayer de me faire manger ces trucs ultra-salés au caviar. Mon péché mignon, ce sont les gâteaux. Goûtez-en un morceau !

Dubitative, Rose saisit l'assiette que Madame Lupin mère lui tendait. Elle, qui n'avait plus d'appétit depuis plusieurs jours, avait brusquement senti son ventre réclamer une part. Le gâteau avait l'air succulent, mais elle avait lu *Blanche-Neige* : si elle croyait encore au prince charmant, elle se méfiait aussi de la marâtre empoisonneuse.

Sous le regard interrogateur de la vieille dame, elle goûta un tout petit bout. Ses joues s'empourprèrent aussitôt de plaisir.

— C'est bon, hein ? Je vous l'avais dit. Et c'est facile à faire. Je peux vous apprendre si vous voulez. Quand vous aurez des enfants, avec ce gâteau, vous ferez un tabac !

— J'ai déjà un fils, vous savez. Il a 18 ans !

— 18 ans ? L'âge ingrat ! Bon courage ! Enfin... Pardon... Je veux dire « félicitations »... Vous ne cuisinez pas ?

— La gastronomie et moi, ça fait deux : personne ne m'a jamais appris, et maintenant, c'est trop tard !

— Ta, ta, ta ! Trop tard de rien du tout. Vous avez une quarantaine d'années, il est toujours temps d'apprendre. Et votre mari, vous ne le nourrissez pas ?

— Trente-six et demi, et…

Rose se tut.

— Bon, on n'a pas toujours tout ce que l'on veut dans la vie. D'ailleurs, j'imagine que vous, si la vie vous avait souri davantage, vous ne seriez pas ici. Je me trompe ?

Le silence de Rose était éloquent. Elle prit une bouchée de gâteau supplémentaire pour se donner une bonne raison de ne pas répondre (et puis, il était vraiment délicieux).

— Quant à moi, si on avait la vie qu'on mérite, j'aurais des petits-enfants en âge de passer le baccalauréat, on irait au théâtre ensemble et je les emmènerais voir des expositions. Je n'avais pas prévu que ma fille unique refuserait de tomber enceinte pour ne pas prendre un gramme. D'ailleurs, vous vous serez rendu compte qu'il fait un peu frisquet ici. La climatisation qui souffle de l'air à 15 °C, cela fait partie de son programme de cryothérapie pour maigrir. Même son chien a tellement froid qu'il en devient pot de colle.

Elle se leva lentement et se dirigea vers le miroir tournant, qui cachait l'escalier, le Loulou trottinant derrière elle :

— Je vais me coucher, vous devriez en faire autant. Il est presque 2 heures du matin. Au dernier étage, vous trouverez votre studette.

Je suppose que Véronique n'a pas fait votre lit.
Servez-vous dans les placards. Bonne nuit !
Demain, elle revient et votre calvaire prendra fin.
Au fait, moi, c'est Colette.

11

Tête à claques

Rose attendait, seule, dans le grand salon de Véronique, que Colette finisse de se doucher (encore) et descende la rejoindre. Après plusieurs minutes, cette dernière n'apparaissant toujours pas, Rose se décida à monter. Colette préférait probablement rester chez elle. Ce qui arrangeait Rose aussi.

Rose retrouva la vieille dame assise dans la bibliothèque en train de lire le journal, le petit chien à ses pieds. Ses cheveux étaient encore mouillés.

— Bonjour Colette. Vous avez bien dormi ? Je vous ai pris un croissant à la boulangerie en bas. J'ai cru comprendre que vous étiez gourmande.

— C'est très gentil. Cela fait longtemps que je n'ai pas mis les pieds à la boulangerie. Ils faisaient des chouquettes délicieuses. Je n'ai jamais réussi à en faire d'aussi bonnes. C'est toujours Isabelle qui sert les baguettes ? Et Christophe, son mari, au pétrin ?

— Euh, je ne sais pas, sans doute. Elle avait une tête à s'appeler Isabelle, maintenant que j'y pense. Que souhaitez-vous faire aujourd'hui, Colette ?

— Eh bien, vous voyez, lire un peu, prendre une douche. Faire mes mots croisés, prendre une douche. Manger un bout de gâteau, puis prendre une douche. Pendant que vous nettoyez les appartements de ma fille. Je reste persuadée qu'elle a bien plus besoin de vous que moi. Vous savez, c'est une vraie souillon. On ne dirait pas comme ça, mais je ne vous souhaite pas de tomber sur une de ses petites culottes.

Rose fit une moue boudeuse. Elle avait plutôt envie de faire plus ample connaissance avec la femme assise en face d'elle et, surtout, de prendre un peu l'air. Après des semaines de temps maussade, les beaux jours de mai arrivaient enfin.

— Cela ne vous tente pas, une petite balade dans le parc ? Les canetons viennent de naître et ils faisaient un sacré remue-ménage ce matin. On y va en douceur. Pas de stress. On a toute la journée devant nous !

Alors que Colette allait refuser poliment – mais fermement – cette proposition qu'elle trouvait grotesque, le téléphone fixe de l'étage inférieur se mit à sonner. Rose dévala les marches de l'escalier et saisit le combiné le plus rapidement possible. Il s'agissait sûrement de Véronique, qui la prévenait de son retour dans l'après-midi.

Rose avait décidé de dire ses quatre vérités à son employeur. Elle voulait mettre fin à cette mascarade. Colette ne souhaitait pas être assistée et Rose ne s'était jamais sentie aussi inutile. La jeune femme voulait se consacrer aux choses qui comptaient vraiment pour elle et ne plus perdre son temps : se réconcilier au plus vite avec Baptiste. Ses appels et textos restaient sans réponse. Rose n'abdiquerait pas tant que les choses ne s'arrangeraient pas avec son fils. Peut-être que voir la vieille femme, seule, retranchée dans cet appartement et complètement délaissée par sa fille, lui renvoyait une image angoissante de son avenir avec Baptiste. Plus que jamais, elle était décidée à régler la situation et à retrouver la complicité qu'ils avaient il n'y a encore pas si longtemps.

À l'autre bout du fil, la voix perchée dans les aigus, probablement à la recherche de maître Corbeau, confirma à Rose qu'il s'agissait bien de Véronique.

— Ah enfin ! Quelle lenteur ! Vous ne le savez peut-être pas encore, mais je déteste attendre. C'est le seul luxe que je n'ai pas. Je ne vous paie pas pour rester assise sur mon canapé à regarder le téléphone sonner. Écoutez-moi attentivement : je n'ai presque plus de batterie et, surtout, je déteste me répéter. Donc je disais : ces imbéciles de contrôleurs aériens sont encore en grève et le jet de Richard ne peut pas décoller. On va devoir rester au Martinez toute la semaine ! C'est une catastrophe : je n'ai rien à me mettre. Je vais encore devoir me farcir le *personal shopper* incompétent de l'hôtel. Bref, soyez gentille et occupez-vous d'elle cinq jours de plus. Elle est un peu particulière et c'est une véritable comédienne, mais forcez-la à manger et à sortir un peu. Nous rentrerons au plus tard dimanche en fin d'après-midi. D'ici là, ne la laissez pas seule, elle a tendance à déprimer.

— Euh…

— Tant mieux si tout se passe bien. Un souci de moins pour moi en ce moment. Et activez-vous, bon sang ! Je vous sens passive. Un standing, ça se voit à la qualité de ses employés. Allez, je ne vous retiens pas plus longtemps…

— Madame Lupin, attendez. Dimanche, je ne peux pas !

La tonalité régulière en *la* majeur fit comprendre à Rose, si elle avait encore le moindre

doute, que la conversation était terminée. Hébétée, elle tenait encore le combiné quand elle se
retourna et croisa le regard compatissant de
Colette en bas des marches.

— Ma pauvre ! Il semblerait que vous soyez
bloquée ici encore quelques jours de plus. J'espère que vous n'aviez rien de prévu.

12

Chercher une aiguille
dans une botte de foin

Rose n'aurait su dire qui d'elle ou de Colette était la plus déçue de ces prolongations. La vieille dame, habituée aux changements de programme permanents de sa fille, ne semblait pas le moins du monde étonnée. Juste lasse. Fatiguée d'être le boulet laissé en arrière en plus d'être une charge pour Rose, quand cette dernière ne cachait pas son exaspération d'être retenue loin de ses priorités familiales.

Alors que Colette était repartie de plus belle sous la douche, Rose la prévint qu'elle sortait faire quelques courses à la supérette du coin. Quand elle passa devant le café où elle avait aimé prendre son petit déjeuner, le serveur la salua d'un hochement de la tête discret, auquel elle répondit par un timide geste de la main, toute chargée de ses achats – principalement des plats surgelés, du fromage, un peu de charcuterie, de grosses tomates, des pâtisseries et des croquettes pour *Médor*.

En rangeant les courses, Rose avait trouvé aisément de la place dans le frigo vide de Véronique, mais était restée bouche bée devant l'absence de congélateur. Un appartement de plus de deux cent cinquante mètres carrés, sur trois étages, et pas un congélateur digne de ce nom. Des petits freezers qui ferment mal, oui, mais rien qui assurerait une longue vie à monsieur Picard et à ses amis. Rose transpirait d'exaspération et ne voyait pas d'autre solution que de tout stocker dans le réfrigérateur (et, accessoirement, de manger comme quatre pendant les prochains jours).

Revenue observer le désarroi de Rose, Colette suggéra timidement :

— Vous avez essayé dans la cabine de cryo de ma fille ? Au fond de son dressing ?

— Vous pensez que j'ai le droit ?

— Non. Vous ne faites uniquement que ce que l'on vous autorise ? Votre vie doit être bien triste...

Tu l'as dit, bouffi !

Rose lança un regard intéressé à la vieille dame et courut installer ses surgelés, sous le regard sévère du petit Loulou de Poméranie.

64

— Arrête de me grogner dessus, *Xanax,* sinon je t'y mets aussi ! Je ne fais rien de mal, là ! Je m'assure que la cabine à froid de madame fonctionne encore. Mais comment fait-elle pour y rester plus de dix secondes ? On dirait une chambre froide pour gros morceaux de viande, voire pire... Et toi, arrête de me coller si tu ne veux pas finir en *Mister Freeze* !

Installées dans la cuisine de Colette, les deux femmes étaient silencieuses, une tasse refroidie devant chacune d'elles. Rose avait bien tenté d'engager la conversation, mais Colette regardait au loin, comme absorbée par les carreaux de la crédence. Pour être particulière, Colette l'était vraiment : avec elle, c'était noir le jour, et blanc la nuit, ou inversement. À n'y rien comprendre. Rose tenta, à nouveau, de briser la glace :

— Vous savez, nous ne sommes effectivement pas obligées de nous parler. Mais cela ferait quand même passer le temps plus vite... Une semaine, ce n'est pas loin de 150 heures, tout de même ! Il faudrait faire un petit effort. Il fait un temps splendide, c'est dommage de rester enfermées. Votre fille m'a dit que vous avez tendance à déprimer...

— Moi, déprimée ? Elle est culottée, celle-là ! rétorqua Colette, blessée. Je ne me gave pas de pilules, contrairement à elle. Je ne tiens pas à m'épancher sur des sujets qui ne vous concernent pas ! N'y voyez rien de personnel, mais ce qui se passe entre ma fille et moi ne regarde personne. Et hors de question de sortir ! Vos idées de génie, vous pouvez vous les garder. Tout cela pour voir quelques minuscules canards dépendant de leur mère : ils vont vite déchanter, ceux-là.

De nouveau, Colette tourna le regard de l'autre côté de la pièce et se mura dans le silence. Rose pensa un instant regagner sa studette à l'étage du dessus, laissant la vieille dame à ses non-occupations, mais elle se ravisa par mauvaise conscience. Une chute était vite arrivée…

Rose décida alors de prendre un des nombreux ouvrages de la bibliothèque et d'occuper le temps avec une histoire d'amour à l'eau de rose. Ses préférées. Après de nombreuses minutes d'observation de biais, Colette émit un commentaire :

— Il a fallu que vous choisissiez le seul livre qui ne m'appartient pas… Ces histoires d'amour qui finissent toujours bien, mais qui y croit encore ?

— Moi ! Et j'espère bien avoir la chance de trouver le bon et de refaire ma vie. Le temps galope, mais je ne suis pas encore périmée.

— Vous dites ça pour moi ?

Rose la regarda du coin de l'œil pour vérifier s'il s'agissait d'humour, puis comprit que la vieille dame se sentait vraiment offensée.

— Mais enfin, Colette ? Vous êtes parano ? Je ne parle absolument pas de vous. Et ce chien qui me léchouille les orteils, je n'en peux plus ! Ça suffit, *Pastis* ! Je vais aller au parc avec lui, cela nous changera les idées. Vous ne voulez vraiment pas nous accompagner, Colette ?

— Sans façon !

— Nous ne serons pas longs. Avez-vous besoin de quoi que ce soit ? Caviar ou foie gras ?

— Je crois que vous avez raison. Nous n'allons pas survivre une semaine à cette cohabitation forcée.

13

Nom d'un chien

Véronique Lupin devait rentrer en fin d'après-midi ce dimanche-là. Rose et Colette étaient tendues. Leur dernière journée ensemble aurait dû être un soulagement, mais elle leur laissait en bouche comme un goût d'inachevé, une impression d'échec.

Quand Véronique sonna à la porte de chez elle, elle fut tout d'abord surprise de tomber nez à nez avec une inconnue. Elle n'avait tout simplement plus aucun souvenir du physique de la jeune femme qu'elle avait embauchée, ni la moindre idée de son nom. Rose put donc se présenter – pour la première fois – et informer Véronique que tout s'était bien déroulé.

Lorsque celle-ci lui répondit : « Non, va garer la voiture chez toi. Je dépose mes sacs et te rejoins avec ma Mini d'ici vingt minutes. Qui y aura-t-il au Racing ? », Rose comprit que Véronique, casque-oreille sans fil du type organisatrice de mariage, était en pleine conversation avec ce qui devait être son compagnon, Richard le chirurgien, qui, à y regarder de plus près, avait déjà plus que ravalé la façade de la Lupin.

Bienvenue au bal des vampires !

— Où est-elle ?

Cela faisait trois fois qu'elle répétait cette phrase et la fumée commençait très nettement à sortir de ses narines. Rose se faisait la remarque que, de toute évidence, Richard fréquentait Véronique depuis peu pour ignorer qu'elle ne supportait pas d'attendre, quand Véronique planta ses yeux verts dans ceux (marron) de Rose, en réitérant pour la quatrième fois la question.

— Ah, euh… C'était à moi que vous parliez ? Je suppose à l'étage, dans la cuisine. C'est là qu'elle était quand je suis descendue vous ouvrir.

Véronique siffla deux fois, très sèchement, et s'écria :

— Pépette !!! Descends, nous sortons ! Ah, j'oubliais. Votre argent. Vous pouvez rentrer chez vous. Je vous rappelle cette semaine pour vous dire si nous continuons « l'aventure ensemble », comme disent les jeunes de la télévision : je veux d'abord m'assurer que tout s'est bien passé.

Rose regarda hébétée la liasse de billets qu'elle tenait dans sa main droite, puis se dit que, finalement, ce n'était pas le moment opportun pour vider son sac. Elle le ferait par téléphone, quand Véronique Lupin la rappellerait. Si elle pensait à le faire. Si elle retrouvait son numéro. Et si Rose réussissait à en placer une...

La jeune femme vit le petit chien dévaler l'escalier pour sauter sur le pantalon blanc de sa maîtresse. Plus excité que jamais, il lui reniflait la poche.

— Tu as été sage, ma belle ? Tu mérites une friandise ? demanda Véronique de la voix gaga avec laquelle on s'adresse parfois aux bébés.

Elle sortit aussitôt un amuse-bouche d'un petit carton très chic siglé Lenôtre et s'apprêtait à le donner au Loulou de Poméranie, quand, de nouveau, elle pivota froidement vers Rose et balança :

— Cela vous arrive-t-il de répondre aux questions que l'on vous pose ?

Je ne comprends même pas pourquoi elle a besoin d'installer une salle de cryogénisation chez elle, c'est un iceberg à elle seule !

— Excusez-moi, madame Lupin, mais je n'étais pas sûre que celle-ci s'adressait à moi, encore moins qu'elle requît une réponse, osa Rose.

Mais elle se rend compte du ton qu'elle emploie ? Quelle grognasse ! Elle a plus de respect pour son chien que pour moi.

Le toutou sautillait toujours plus énervé sur le pantalon de Véronique, qui lança son regard le plus noir.

— Oui. Elle le mérite, souffla Rose.

— Enfin ! lâcha Véronique. En tout cas, je ne sais pas si, vous, vous méritez votre place chez nous : vous avez vu ses poils ? Ils ne sont plus blancs, mais marron. Vous l'avez promenée dans le caniveau ou quoi ? Et combien de fois est-elle allée chez la toiletteuse ? Avec ce résultat, j'espère que vous ne lui avez pas laissé de pourboire…

S'il avait été clair que Véronique Lupin exigeait une réponse aux questions précédentes, il semblait moins évident que Rose dût répliquer à la tirade de *Madame*, une fois la porte claquée derrière une Véronique partie avec son Loulou sous le bras.

Rose ressassait les paroles de Véronique. Quelque chose lui avait échappé. Arrivée en bas de l'escalier sans avoir fait un bruit, comme à son habitude, Colette passa une tête et dit :

— Je vous avais bien dit que cela m'étonnait beaucoup qu'elle vous ait embauchée pour prendre soin de moi.

14

Et ta sœur ?

Rose hurlait à Lili, dans le RER qui la ramenait vers Noisy-le-Grand :

— Dame de compagnie pour chien ! Non,
mais tu te rends compte, Lili ?

Sa sœur pouffait au téléphone, ce qui l'exaspérait plus encore.

— Ne rigole pas ! Je suis hallucinée ! Et je me
sens tellement mal pour cette pauvre dame…

— Je ne me moque pas, mais avoue que c'est
cocasse quand même ! C'est la première fois que
j'entends ça ! Je ne comprends pas pourquoi
quelqu'un a besoin d'une *baby-sitter* pour chien,
surtout 24 heures sur 24, alors que sa mère est
chez elle ?

— Je connaissais les « promeneurs de chien »,
mais je pensais que c'était plutôt réservé aux
gros toutous qui ont besoin d'activité… Ou alors

aux personnes âgées quand elles deviennent trop faibles pour sortir leur animal.

— Ou aux femmes qui ne s'abaisseraient jamais à ramasser les crottes de leur chien. Elles préfèrent payer quelqu'un pour les basses besognes.

— En tout cas, je peux te dire, elle n'est pas près de me rappeler, la Véronique.

— Pourquoi ? Tu ne ramasses pas avec assez de grâce ? répondit Lili, moqueuse.

— J'ai passé ma semaine à martyriser son chien, qui était déjà neurasthénique. Moi qui croyais que c'était sa mère qui déprimait. Après ce que je lui ai fait subir, il doit encore en trembler dans les bras de sa chère maîtresse. Il faut dire que je n'y suis pas allée de main morte. À lui faire manger des croquettes toutes sèches quand, de toute évidence, il était plus habitué au caviar et au foie gras. En tout cas, à la fin, avec moi, il ne mouftait plus !

— Il est de quelle race, ce chien ?

— C'est un Loulou de Poméranie. Une espèce de petite peluche.

— Ça doit être un genre de chien masochiste, ça.

— Tu parles, je suis sûre qu'il va me balancer pour avoir loupé ses séances de toilettage et l'avoir traité de tous les noms ! Dire que Colette avait raison ! Elle connaît si bien sa fille qu'elle savait que je ne pouvais pas être embauchée pour m'occuper d'elle.

— Les relations familiales sont toujours un peu compliquées. À propos : tu as des nouvelles de Baptiste ?

Rose soupira dans le combiné. Déjà plus de deux mois qu'il ne dormait plus chez elle et ne répondait pas à ses messages.

Lili reprit alors les choses en main.

— Je vais organiser un dîner chez moi vendredi. Moi, il n'a rien à me reprocher, ton fils. Il viendra voir sa vieille tante pour causer un peu et, toi, tu te joindras à nous par surprise, ça vous permettra de mettre cartes sur table une fois pour toutes.

Dans ses tripes, Rose savait que c'était une très mauvaise idée. Elle connaissait bien son Baptiste et il avait horreur des surprises ! Il était même capable de se mettre en colère quand on le prenait au dépourvu. Cette « brillante suggestion » n'augurait rien de bon. Mais avait-elle un autre choix, puisqu'il refusait de lui parler depuis des semaines ?

La conversation s'acheva au moment où elle rentrait chez elle. Ses meubles en kit et son parfum d'intérieur lui donnèrent envie de vomir. Sans Baptiste, ce n'était plus la maison. La décoration, les bibelots, la peinture... toutes ces choses qu'elle avait pris soin de choisir avec son fils pour leur fabriquer un petit coin de bonheur la rendaient désormais nostalgique. C'était si simple quand Baptiste n'était encore que le petit garçon qui adorait dessiner de grands bateaux à voile, qu'elle accrochait sur le réfrigérateur avec tant de fierté.

Elle prit une décision : elle déménagerait de cet endroit. Ce qu'elle ressentait à cet instant, c'était la douleur d'une séparation, comme si celui qu'elle aimait l'avait quittée pour une autre. Ironie pour une femme qui n'avait jamais partagé son quotidien avec un homme.

Rose fut interrompue dans ses pensées par sa sœur, qui la relançait à propos de la surprise à organiser le vendredi suivant.

— OK, répondit simplement Rose.

— Au prochain épisode, sœurette ! Je suis certaine que tout va bien se passer, et puis, c'est sûrement juste une phase. Peut-être qu'à son âge il a besoin de réponses…

— Écoute, Lili, chaque chose en son temps, ne me brusque pas… Je sais tout ça, tu crois que je n'y pense pas ?

Après tout, elle n'avait pas tort. Il fallait parler et se débarrasser enfin de ce poids, cela les ferait avancer tous les deux. C'était peut-être enfin le moment. Et puis, ça ne pouvait pas être pire ! Si ?

15

Saperlipopette

Seule dans son appartement, où elle n'avait pas pris la peine d'allumer la lumière alors que le soir était tombé depuis longtemps, Rose prenait la mesure de sa vie qui se délayait. Sur la table, la demi-douzaine de factures reçues en moins d'une semaine absorberait une bonne partie du salaire qu'elle venait de percevoir. À côté, l'horoscope du jour, proposé par le journal gratuit du métro. Bilan des courses : Amour, travail, argent, au beau fixe ! Elle nota pour elle-même qu'elle devrait sérieusement contacter le rédacteur de la rubrique pour lui faire un retour d'expérience. Il était aussi précis dans ses prédictions que semblait l'être Élisabeth Teissier selon sa page Wikipédia.

Rose était triste de ne plus voir son fils, mais, au fond d'elle, une petite voix continuait de lui souffler que les choses allaient s'arranger. Comment ? Elle ne le savait pas encore. Il fallait que Jupiter y mette du sien.

Malgré elle, elle s'inquiétait pour Colette. Elle avait pourtant assez de choses à gérer dans sa vie. Rose avait la manie de mettre de l'affect partout, de s'investir émotionnellement, même lorsqu'il ne faudrait pas. Elle avait trouvé la vieille femme un peu allumée, certes, mais attachante. Elle ne pouvait pas s'empêcher de ressentir de la compassion pour Colette. Pourquoi passait-elle tout son temps à se laver ? Rose faisait de la psychologie de comptoir, mais elle avait vraiment envie de comprendre. Si Rose ne se préoccupait pas d'elle, qui le ferait ? Les chances qu'elles se recroisent un jour étaient minces : Colette ne sortait jamais.

Comme prévu, Véronique ne l'avait pas rappelée. Rose passa donc sa semaine à trier, à s'occuper du ménage, à ranger ses tiroirs, pour se changer les idées. Le genre de choses que l'on ne fait jamais, pour lesquelles on trouve rarement le temps, ou que l'on repousse au week-end suivant. Elle jeta trois énormes sacs-poubelle avec de vieilles affaires à elle. Celles de Baptiste, elle les avait pliées dans des cartons, empilés dans un coin de la chambre. Il avait laissé dans ses tiroirs tous ses souvenirs, son globe lumineux sur lequel il s'était imaginé tant de fois ses futurs tours du monde en voilier, ses dessins d'enfant qu'il avait gardés pourtant précieusement jusque-là, sa correspondance avec sa mère, lorsqu'il partait en colonie de vacances, et tout un tas d'autres choses. Rose ne se résignait pas à s'en débarrasser. Et s'il en avait besoin un jour ?

Après avoir fait de l'ordre dans tout l'appartement, une angoisse l'avait saisie. Et si Baptiste avait cessé d'aller en cours ? Et si, en plus de sa mère, il avait aussi abandonné ses études ?

Elle avait décidé de se rendre à son lycée professionnel. Faire le parcours que son fils avait fait tous les jours depuis le début de l'année scolaire l'avait émue, essayer de deviner à quelle place il s'asseyait dans le bus, ou encore s'il s'endormait parfois le front collé contre la vitre froide.

De l'autre côté de l'avenue, Rose s'était installée dans un café pour prendre un chocolat chaud en attendant l'heure de la sortie des cours. Elle feuilletait le journal à disposition sur le comptoir, et à la page des faits divers, son cœur s'était emballé. Rose ne supportait plus les mauvaises nouvelles. À l'ouverture des grilles, elle était sortie du café pour observer les jeunes gens se disperser, espérant apercevoir son fils. Elle n'osa pas traverser la rue qui la séparait de l'établissement, jusqu'à ce qu'elle reconnaisse Freddy, un de ses plus proches amis, un jeune garçon bien élevé, qui plaisait à Rose. Elle avait souvent encouragé son fils à le fréquenter.

Freddy, toujours aussi poli, répondit à Rose qu'il n'avait pas vu Baptiste en cours depuis plusieurs jours. Et lorsqu'il lui demanda si Baptiste allait bien, la jeune mère désemparée avait senti ses mâchoires et son dos se contracter. Elle était incapable de répondre à la question. Et en avait honte. Rose ne savait pas ce que faisait son fils, où il était et s'il allait bien.

Respirer un grand coup.

Elle espérait du fond du cœur que Baptiste n'avait pas également abandonné son stage. Son employeur était jusqu'alors dithyrambique à son propos et lui avait déjà réservé un emploi.

Rose se consola en se souvenant qu'elle le retrouverait dès vendredi au dîner surprise chez sa sœur, en pleine forme, disposé à lui parler calmement. Elle saurait trouver les mots, ils seraient vite réconciliés et Baptiste reprendrait le chemin de l'école à temps pour les examens finaux qui approchaient.

La semaine avait été longue. Rose avait beaucoup regardé la télévision, des feuilletons multirediffusés en particulier. Elle avait peu mangé. Et surtout, elle avait beaucoup pensé à son père. Elle ne pouvait s'empêcher de penser que, dans les moments difficiles, s'il avait été là, tout serait plus simple.

Le soir du dîner avec Baptiste était enfin arrivé. Rose avait choisi sa tenue avec soin, comme pour un premier rendez-vous, elle avait fait un effort de présentation. Baptiste lui reprochait parfois de s'habiller comme une vieille, de se laisser aller, alors elle avait eu envie de lui plaire. Elle avait d'abord essayé de relever ses cheveux en arrière, mais, en mettant en évidence son visage, elle s'était ravisée : ses yeux étaient gonflés et cernés, sans doute avait-elle trop pleuré ces jours-ci. Dans le métro, en route vers l'appartement de Lili, les écouteurs vissés dans les oreilles, elle écoutait la radio. La connexion était très mauvaise : la jeune femme entendait un couplet sur deux de la chanson de *Rocky*.

« *The final countdown. Tata tadadada !* »

Baptiste adorait ce film lorsqu'il était plus jeune. Il en connaissait les répliques par cœur.

Il lui restait un arrêt avant de descendre quand la sonnerie de son portable retentit. Un numéro inconnu s'afficha. Peut-être Baptiste avait-il changé de numéro ? Ce qui expliquerait pourquoi il ne lui répondait plus sur l'autre… Elle décrocha, le cœur battant.

Prendre une voix enjouée ! Et faire genre, je suis hyper-détachée…

— Bonjour. C'est Véronique Lupin.

Décrochage de mâchoires à la Sylvester Stallone ! Rocky aurait sûrement dit à Rose : « Ce qui compte, ce n'est pas la force des coups que tu donnes, c'est le nombre de coups que tu encaisses. »

— J'ai besoin de vous, *finalement*. Je repars en voyage sans Pépette. Richard a des conférences. Je vous laisse vous installer définitivement dans le petit studio. Même salaire, même implication irréprochable. Il faudra vous rendre deux fois par semaine chez la toiletteuse et trois fois chez son thérapeute. Je ne sais pas comment vous vous y êtes prise avec ma chienne adorée, en tout cas il semble que cela ait fonctionné !

Ça alors, pour une surprise, c'était carrément inattendu. Mais Madame la Marquise ne savait pas de quel bois Rose se chauffait. Elle, le régime cryogénique, elle ne savait pas ce que c'était. Sa proposition, elle allait très vite savoir où elle pourrait se la carrer.

Attention à ta garde, la Véronique : je rends coup pour coup !

— Euh, madame Lupin. Je vous remercie, mais je vais devoir décliner. C'est contre mes principes de faire dame de compagnie pour un chien quand, de toute évidence, c'est votre mère qui a besoin d'aide. Si vous souhaitez m'embaucher pour Colette, ce sera avec plaisir. Pour votre toutou chéri, je passe mon tour.

Et vlan, dans les dents !

Enfin ! Rose avait lâché ce qu'elle avait sur le cœur. Pour une fois. Elle avait sûrement été la première à clouer le bec de la Véronique et cela la rendait très fière. Elle sentait qu'elle pourrait y prendre goût. D'autant que renoncer à un salaire pareil était un vrai sacrifice.

Intérieurement, elle avait espéré que Véronique Lupin saute sur l'occasion et l'embauche pour Colette, mais rien ne vint. Hormis un long silence suivi d'un :

— C'est parfait, à demain alors !

Bon, de toute évidence, Véronique n'avait rien compris à la provocation de Rose. OK, elle manquait d'entraînement. Mais comme disait Rocky : « *C'est pas fini, tant que la cloche n'a pas sonné.* »

16

Un dîner presque parfait

Quand elle fut arrivée devant chez sa sœur, le cœur de Rose se mit à s'emballer. Et s'il ne venait pas ? Ou pire, s'il venait et que rien ne se passait comme prévu ? Rose sentit ses jambes trembler.

Elle était prête à faire un pas vers Baptiste, à lui pardonner son silence. Avait-elle le choix d'ailleurs ? Lili avait raison, il avait sûrement enfoui tellement de frustrations en lui que cela s'était transformé en colère, et il l'avait dirigée contre Rose. Elle avait toujours caché un certain nombre de choses, pour le protéger, mais cette méthode atteignait sans doute ses limites.

Comme un mauvais penchant, elle avait consulté son horoscope avant ce dîner improvisé.

Oui, les bonnes résolutions ! On sait ! Mais bon, une petite exception, de temps en temps, ça n'a jamais tué personne !

Vierge : Aujourd'hui, renouveau en vue. En couple : Avant le réconfort, l'action ! Ne restez pas campé sur d'anciennes habitudes de vie. Pluton ne pourra pas vous aider tant que vous n'aurez pas fait des efforts pour vous libérer. Qui vous influence mal ou vous retient de voguer vers de nouveaux vents ? Travail : Votre emploi ne vous apportera pas de grandes surprises aujourd'hui, malgré votre besoin de changement.

Cela n'augurait rien de bon. Mais qu'est-ce que Pluton savait vraiment de ses relations avec Baptiste ?

Rose était encore à tergiverser devant la porte de Lili quand celle-ci s'ouvrit en grand. Sa sœur, couverte de farine, l'accueillit :

— Combien de temps tu allais encore attendre avant de te décider à sonner ? Tu fais une de ces têtes ! Personne n'est mort, tu sais ! Pas encore, du moins.

Rose s'installa sur le canapé et découvrit une vingtaine d'amuse-bouches déjà placés sur la table basse : des samoussas, des verrines, des crudités taillées en lamelles avec leurs sauces diverses, des blinis et un verre de vin rouge déjà bien entamé. Effectivement, Lili attendait Rose depuis un petit moment et avait commencé à fêter le week-end sans elle.

— Alors Madame la *dog-sitter* de l'année ! Un kir à la mûre, comme d'habitude ?

84

— Non. Aujourd'hui Pluton me demande de prendre mon courage à deux mains. Tu as de quoi me faire une Tequila Sunrise ou même du rhum pour un Mojito ? Quoi que tu aies, je le prendrai double. Le courage, ça ne se trouve pas comme ça au coin de la rue. D'ailleurs, en parlant de mes talents de *nounou pour chien*, tu ne crois pas si bien dire ! Il faut que je te raconte le coup de fil lunaire que je viens de recevoir…

Rose l'informa de la discussion qu'elle avait eue avec la fille Lupin, pendant que Lili préparait en cuisine un magnifique cocktail orangé, qui fit grimacer Rose à la première gorgée.

— Tu n'y es pas allée de main morte. Ça me brûle les lèvres et l'estomac. J'attaque les concombres au tzatziki pour éponger un peu. Des nouvelles de Baptiste ? demanda Rose de la manière la plus détachée possible.

— Oui, il est toujours censé passer ce soir, pour le dessert. Il a fait une course pour moi la semaine dernière et je lui dois 100 euros. Il va venir, tu peux me faire confiance. En attendant, commençons à manger.

De stress, Rose déglutit bruyamment, ce qui fit tiquer sa sœur. Pour se redonner une contenance, elle but une grande lampée de son cocktail et voulut détourner la conversation.

— Mais pourquoi toute cette farine sur ton tablier, et dans tes cheveux, d'ailleurs ?

— Ah, ça ! J'ai fait de la pâte à sel. J'ai commencé des cours de méditation et ils recommandent de trouver une activité pour se vider la tête. J'ai essayé le coloriage, mais ce n'est pas pour moi. Alors je teste des activités manuelles, qui ruinent ma cuisine et ma couleur. Et attention, maintenant, je me lève tous les jours à 5 heures du matin. Ils appellent ça le *Power Morning*. Résultat : je suis crevée et passe mon temps à bâiller au cabinet. Je me suis même complètement décrédibilisée auprès des autres avocats quand, l'autre jour, il y en a un qui m'a surprise à faire la sieste dans mon bureau.

— Mais rappelle-moi pourquoi tu fais tout ça ? Tu n'as pas d'enfants et ton cabinet n'ouvre pas avant 9 heures !

— Sincèrement, je ne sais même plus. J'ai lu ça quelque part et un collègue m'a dit que c'était génial.

— Il fallait me demander, sœurette : moi, je me lève à 5 heures du matin depuis des années et je ne suis pas plus zen pour autant. Tu me ressers un verre ? Je sens le courage qui vient…

Deux Tequila Sunrise plus tard, et les minimoelleux au chocolat engloutis, Lili et Rose étaient très décontractées. Affalées dans le canapé, devant TF1, dont elles avaient coupé le son, elles se rendirent compte qu'elles avaient complètement oublié de garder une part de dessert quand la sonnerie de la porte retentit. Rose se raidit aussitôt. Lili reprit le contrôle des opérations :

— Tu ne dis rien. Tu me laisses gérer. OK ?

Rose hocha la tête et prit une grande inspiration. Baptiste entra dans le salon et, quand il la découvrit, s'immobilisa net.

— Qu'est-ce que c'est que ce guet-apens ?

— Eh, on se calme. On est vendredi et, comme tous les vendredis, c'est notre soir, à ta mère et à moi. Je vais chercher l'argent que je te dois. Pendant ce temps, dis bonjour à ta maman.

Lili s'éclipsa, abandonnant Rose et Baptiste dans un silence pesant. Baptiste se pencha vers sa mère pour l'embrasser poliment. Elle était incapable de se redresser de toute façon même si elle avait voulu essayer, ses jambes n'auraient sans doute pas pu la faire tenir debout. Baptiste détournait le regard. Rose se dit qu'elle aurait dû remettre le son de la télévision pour réchauffer la pièce, devenue subitement glaciale. Voyant son fils aussi avenant qu'un videur de boîte de nuit, elle tenta :

— Tu ne t'assois pas ?

— Si, si.

— Tu veux boire quelque chose ?

— Euh… ouais, je vais me servir un verre de vin…

— Tu bois du vin maintenant ? C'est nouveau ?

— Tu ne sais pas forcément tout de ma vie, Rose. Oui, je découvre le vin, ça m'intéresse et je te rappelle qu'on a des cours d'œnologie à l'école…

— Tu n'y vas pas beaucoup en ce moment, il me semble…

Toujours immobile au milieu du salon, Baptiste hésitait entre ne pas répondre, aboyer ou montrer un minimum de courtoisie.

— Tu m'espionnes, maintenant ?

— Non, je suis ta mère, tu es parti et, depuis, plus un mot de ta part, tu ne me réponds même plus au téléphone, je m'inquiète, c'est normal, non ?

— Oui, bah, tu vois bien qu'il n'y a aucune raison de s'inquiéter. Je vais très bien.

Baptiste se servit un verre de vin, en manipulant la bouteille à la manière d'un grand maître d'hôtel. Il y trempa les lèvres.

— Écoute, Baptiste, j'ai réfléchi, j'ai peut-être été dure avec toi. Je suis d'accord pour discuter, pour me remettre en question, mais il va falloir que tu coopères un peu. J'aimerais juste que tu m'expliques ce que tu me reproches.

— Je m'assois, tu as raison…

Tandis qu'il jouait nerveusement avec son téléphone, Rose se rendit compte qu'il avait changé de fond d'écran… C'était bref, mais elle avait eu le temps d'apercevoir les cheveux roux et le visage juvénile de Jessica, collé à celui de Baptiste joue contre joue. Le jeune homme s'empressa de remettre son smartphone dans la poche de son jean. Rose en eut mal au ventre. Son fils releva la tête et la toisa du regard.

— Je trouve ça un peu trop tard pour parler.

— Il n'est jamais trop tard, Baptiste.

— Ah bon ? Parfait ! Alors, s'il n'est jamais trop tard pour se dire les choses, il est encore temps de me parler de mon père ?

Rose se figea. Elle ne l'avait pas vu venir. Lili avait raison depuis le début. Baptiste était plein de colère, de rancune. Elle s'attendait à ce que les réponses évasives dont il s'était contenté depuis l'enfance ne lui suffisent plus, mais pourquoi maintenant ? Pourquoi son amertume avait-elle grandi si brusquement ?

— C'est compliqué, Baptiste. Il faut qu'on en parle calmement.

— Je suis très calme. Tu as toujours eu une bonne excuse pour éviter le sujet.

— C'est à cause de ça que tu as quitté la maison ?

— Pas seulement.

— Pourquoi tu m'en veux autant tout à coup ?

— J'ai besoin de savoir qui est mon père. Ça devient urgent.

— Je ne comprends pas…

— Rose, écoute, Jessica est enceinte. Je vais être papa.

HEIN ??? Qu'est-ce qu'il a dit ?

17

Les chiens ne font pas des chats

Rose était allongée par terre. Baptiste l'éventait avec le magazine télé. Lorsqu'elle reprit ses esprits, elle était assise face à l'écran incurvé dernière génération que Lili s'était offert récemment. Le présentateur au teint hâlé avait l'air de s'adresser à Rose en la regardant dans les yeux. Le son était toujours coupé, mais elle imagina qu'il lui parlait : « Ça va, Rose ? Respire et tout ira mieux… »

Quand la future jeune grand-mère revint à elle, elle voulut le bombarder de questions, mais seul un « hic » sortit de sa bouche, elle fut prise d'un violent hoquet. La repartie n'avait décidément jamais été son truc. Lili lui apporta un grand verre d'eau minérale, elle avait évidemment manqué la raison de ce malaise.

— Tiens, bois ça… et la prochaine fois, on évitera les cocktails et les mélanges, ce n'est pas ton truc apparemment ! On s'en tiendra à ton kir à la mûre, hein, Mamie…

Face au regard noir de sa sœur et à l'air gêné de son neveu, Lili ne comprit pas tout de suite que sa petite taquinerie était inappropriée, compte tenu des événements.

— J'ai dit quelque chose qu'il ne fallait pas ?

Baptiste baissa la tête. Rose se redressa.

— Et ça fait longtemps que tu me caches ça ?

— Six mois, je ne savais pas comment te le dire.

— Six mois !!! Mais alors, c'est vrai. Je vais être grand-mère. Tu aurais pu me le dire avant quand même ! Ça te va bien de me faire la morale, au sujet de ton père…

— J'ai gardé le secret six mois, d'accord ?!… Toi, ça fait dix-huit ans, donc je suis encore loin de battre le record !

Question repartie, ce petit ne tenait définitivement pas de sa mère.

La première chose qui traversa l'esprit de Rose fut : *Il va faire la même erreur que moi.* Elle savait bien qu'elle ne pouvait pas dire cela à Baptiste, qui interpréterait sa naissance comme un regret, ce qui était loin d'être ce que Rose ressentait.

Mais c'était si dommage pour le jeune homme : pourquoi précipiter les choses alors

92

qu'il était jeune ? Il aurait dû en profiter un peu avant de s'engager pour la vie.

Lili ne comprenait rien à la conversation. Elle avait l'air de revenir d'un séjour sur la Lune.

Baptiste reprit un air sévère.

— Je dois prendre mes responsabilités, comme tu me l'as toujours appris.

Bah, bien sûr, j'ai le dos large !

— Normalement, l'accouchement est prévu pour dans trois mois, mais, comme Jessica a déjà des contractions, le bébé risque d'arriver plus tôt.

Lui, papa ? Mais c'est un bébé ! Mon bébé. Et moi, grand-mère ? Grand-mère à 36 ans !!!

— C'est sûr que, il y a quelques semaines, quand on l'a appris, ça nous a fait bizarre, enfin, surtout aux parents de Jessica, mais ils ont accepté l'idée et ils nous soutiennent beaucoup.

Et moi, on comptait m'en parler ou je compte pour du beurre ?

— Quand j'ai appris la grossesse de Jessica, c'est devenu évident : j'avais besoin de comprendre d'où je venais, de savoir qui était mon père. J'ai essayé de faire des recherches de mon côté, mais rien, tu ne m'as rien donné, aucun indice. Je vais devenir papa, j'ai besoin que tu me dises la vérité maintenant et que tu répondes enfin à mes questions.

Rose ne se remettait pas. Elle ne parvenait pas à démêler les émotions qu'elle ressentait, un bouillonnement violent se produisait en elle. Lili s'était assise près de sa sœur aussitôt qu'elle avait compris et lui avait pris la main.

Il est trop jeune ! Je suis trop jeune ! Ce n'est pas possible ! Je ne me sens pas bien.

Baptiste était redevenu muet comme une carpe. Il sentait bien le malaise qu'il venait de créer. Lili jeta un regard à sa sœur désemparée et, pour détendre l'atmosphère, tenta en souriant :

— C'est une bonne nouvelle. Notre famille va s'agrandir !

— Oui, et au cas où vous vous poseriez la question, ce n'est pas un accident. Avec Jessica, on s'aime et on avait envie tous les deux d'avoir un enfant. Tu vois, contrairement à toi, Rose, je ne penserai jamais que ce bébé est une erreur de jeunesse. Il a été désiré, lui !

— Baptiste, ne sois pas si dur avec ta mère ! Tu exagères ! En plus, tu sais que ce n'est pas vrai du tout !

— Sincèrement, je ne sais plus. C'est elle qui exagère ! Elle m'a privé de mon père toute ma vie.

— J'ai fait de mon mieux. Je voulais juste te préserver.

— Eh ben c'est raté, tu vois. À toi de réparer tes erreurs. Tu auras une chance que je te présente ton petit-fils quand tu m'auras donné le nom de mon père.

94

Rose bondit et supplia :

— Non, attends, Baptiste. Tu ne peux pas faire ça. Discutons de tout cela calmement.

La porta claqua. Rose fondit en larmes sur l'épaule de Lili. Cela dura un certain temps, avant qu'elle ne réalise et ne dise dans un sanglot :

— Il a dit « petit-fils » ? Tu crois que c'est un garçon ?

18

Faites des enfants (qu'ils disaient)

Rose était au trente-sixième dessous. Son fils l'avait mise K-O dès le premier round. Elle n'avait pas eu le courage de rentrer chez elle, seule, pour l'être tout autant. Elle avait accepté sans rechigner le lit que sa sœur lui avait préparé. Mais, dans le noir, elle ne parvenait pas à s'endormir. Elle se repassait le fil de la soirée. Elle imaginait des répliques plus intelligentes à retourner à son fils, qui auraient sûrement changé le ton de la discussion. Peut-être pas le contenu.

Rose se trouvait nulle. Rien ne s'était déroulé comme prévu. Lili, elle, avait su gérer. Avec Baptiste comme avec elle. Aussitôt Baptiste parti, elle l'avait remotivée. La demande de son fils ? « Il fallait bien que cela arrive un jour. C'était de bonne guerre », avait-elle ajouté. Baptiste ne pensait sûrement pas ce qu'il avait dit : il n'allait pas rompre avec Rose, ni avec sa famille. Il était juste en pleine crise identitaire. Comment être un bon père quand on n'a jamais connu le sien, quand on ne sait pas pourquoi on a été abandonné ?

Lili avait essayé de changer de sujet. Selon elle, Rose devait accepter le travail chez Véronique Lupin. Si elle était outrée à l'idée que l'on puisse embaucher quelqu'un vingt-quatre heures sur vingt-quatre et sept jours sur sept pour un chien, alors qu'on abandonnait sa propre mère à son sort, Rose n'avait pas eu la force de contredire sa sœur. Pas après une telle dispute.

D'ailleurs, il fallait rendre à César ce qui lui appartenait. Lili avait avancé des arguments très convaincants pour lui montrer que ce travail pouvait être une chance : notamment le fait que, si elle ne se décidait pas à accepter cet emploi, une autre moins scrupuleuse le prendrait et ne se soucierait pas une seconde de Colette. Rose commençait à comprendre que ce pourrait être, effectivement, une opportunité en or. Restait à se montrer convaincante auprès de Véronique pour qu'elle puisse délaisser quelques heures le petit chien afin de s'occuper « gratuitement » de Colette.

Dernier argument de Lili qui avait fini par persuader Rose :

— Reconfiguré ainsi, ce job t'offre bien plus de stabilité : un chien, ça ne vit pas longtemps et, toi, il faut bien que tu manges encore quelques années !

Cette froideur dans l'analyse avait laissé Rose perplexe. Elle souhaitait un poste épanouissant, où elle pourrait se sentir utile. Dame de compagnie pour chien était loin d'être une vocation. Mais si elle pouvait continuer à être aux côtés de Colette, elle tenterait sa chance. Cela la scandalisait que l'on puisse délaisser sa mère ainsi, quand on avait la chance de l'avoir encore auprès de soi.

Elle et Lili n'avaient pas connu leur mère, enfin, pas longtemps. Pas assez tant elle était distante. Aucune d'elles ne se souvenait d'un moment de complicité passé avec elle. Leur père avait évoqué leur maman de rares fois, mais toujours avec tendresse et nostalgie. Les deux sœurs n'avaient jamais posé la question, ni pourquoi, ni comment. C'était comme un pacte secret entre eux trois, qu'aucun n'aurait voulu rompre, pas même à la veille de la mort du vieil homme. Pour ne pas le blesser, lui qui avait fait de son mieux pour compenser l'absence d'une femme à ses côtés.

De son côté, avec Baptiste, Rose s'était efforcée d'endosser les deux rôles, pour que son fils ne manque jamais de rien. Elle pensait y être parvenue, jusqu'à ce soir où il semblait évident qu'il en avait souffert plus qu'il ne l'avait jamais montré.

Bien sûr, il lui avait souvent posé des questions. Qui était son père ? À quoi ressemblait-il ? Pourquoi ne vivait-il pas avec eux ? Était-il seulement encore vivant ? Comment s'étaient-ils rencontrés ? Avaient-ils été amoureux ? Rose s'en était toujours sortie avec un tour de passe-passe – un faux nom, une autre profession – et avait ainsi protégé Baptiste de la vérité. Pour qu'il ne souffre pas. Mais, aujourd'hui, elle se rendait compte que ses silences avaient créé un abîme dans le cœur de son fils et creusé un fossé irréductible entre eux deux. Peut-être qu'il avait raison, qu'il était temps qu'elle lui raconte la vérité. Il était adulte. Il allait devenir père, après tout… Elle se le répétait comme pour y croire pour de bon.

Parfois, à ne pas savoir, on s'imagine bien pire que la réalité. Combien de fois, d'ailleurs, ne lui avait-il pas reproché d'être une mère nulle, qui n'avait même pas été fichue de garder son mari ? La vérité était très éloignée de ses accusations, mais Rose avait encaissé les coups sans le contredire.

Dans son lit, Rose tournait et se retournait. Une boule coincée dans la gorge. Elle était tiraillée entre l'envie de pleurer toutes les larmes que son corps pourrait mettre à sa disposition et celle de saisir son téléphone pour dire ses quatre vérités à son fils. Comme une mère a le droit de faire quand son enfant dépasse les bornes. Mais, dans leur cas, les limites étaient devenues floues, les torts partagés.

On frappa à la porte de la chambre. Lili passa une tête.

— *Room service* ! Je savais que tu ne dormirais pas. Tu résistes à l'envie d'appeler Baptiste ?

— Avec difficulté, mais oui. Je tiens encore à réparer les choses avec lui et je ne veux pas être celle qui gâchera tout. Je suis même prête à faire le premier pas !

— Je crois que c'est lui qui vient de le faire. Regarde ce qu'il vient de m'envoyer. Il sait sûrement que tu es restée dormir chez moi.

Rose se saisit du portable de sa sœur, qui quittait la chambre. Texto de Baptiste reçu à 3 h 41. Lui aussi devait avoir du mal à dormir.

Pas de message. Juste une pièce jointe. Une photographie de l'échographie. À y regarder de plus près, il n'y avait rien d'évident à ce que ce soit un garçon. Et si c'était une fille ? Elle en

avait toujours rêvé. Rose s'endormit, en serrant
le portable de sa sœur tout près de son cœur.
Peu importait, elle sentait qu'elle l'aimait déjà, ce
petit bout de chou.

19

Les torchons avec les serviettes

Quand Rose entra dans le grand salon aseptisé de Véronique Lupin, pour accepter officiellement ses fonctions, le courage s'apprêtait à l'abandonner. Rose devait tenir bon. Elle avait un message important à faire passer :

« OK pour prendre soin de Pépette, si, et seulement si, je peux également m'occuper de Colette. »

Rose n'allait pas le révéler à Véronique, mais elle comptait bien, une fois le travail accepté, expédier les activités de l'animal et octroyer le plus de temps possible à la vieille dame pour l'aider à reprendre sa liberté.

Véronique était affalée sur son canapé, en pyjama d'intérieur blanc. Le pantalon en coton avait l'air d'être d'une douceur renversante. Le petit chien ne s'y était pas trompé : il avait la tête calée sur la maigre cuisse de sa maîtresse.

Véronique Lupin était absorbée par une vidéo qui passait sur son ordinateur. Autour d'elle, une femme de ménage, que Rose n'avait jamais vue, passait le balai dans chaque recoin, dans un silence de cathédrale. De toute évidence, elle avait interdiction d'utiliser l'aspirateur pour ne pas déranger la propriétaire. Aucune trace de Colette. Elle devait être à l'étage, probablement sous la douche.

Quand Rose toussota pour indiquer sa présence, Véronique leva à peine la tête de l'écran. D'un ton très calme et sûr, ce qui l'étonna elle-même, Rose exposa clairement qu'elle serait ravie d'accepter l'emploi proposé, mais à une condition. Cela fit tiquer Véronique, qui se redressa aussitôt et fit face à Rose. Celle-ci eut un mouvement de recul. Le visage de Véronique était très bizarre. Tout figé et gonflé.

— Aujourd'hui, ce n'est pas le bon jour. Je suis fatiguée. Je suis passée au cabinet de Richard ce matin et je n'ai plus l'énergie de me battre avec les petites gens. Vous aussi, vous voulez une augmentation ? Je pensais avoir été déjà largement généreuse. Le logement de fonction, le salaire. Soit, je capitule. Je peux reprendre mes activités ou vous avez encore d'autres sollicitations d'importance capitale à me soumettre ?

— Euh, oui, en effet.

— Je l'aurais parié. Vous ne vous souvenez pas que je déteste que l'on me fasse perdre mon temps. Et, par votre faute, je n'ai pas suivi la dernière scène.

Rose s'approcha et reconnut la série que Véronique Lupin regardait : *Devious Maids*. Une sorte de *Desperate Housewives*, dont les héroïnes étaient des domestiques au service de grandes familles riches. La situation était plus que déplacée au goût de Rose : Véronique se divertissait en regardant des femmes de ménage sur le petit écran au moment même où la sienne s'activait dans son salon. Il y avait quelque chose de malsain.

Rose reprit :

— Un détail seulement : je n'accepte votre offre que si vous m'autorisez à prendre également soin de votre mère, en plus de votre petit chien.

— Elle s'appelle Pépette, tâchez de vous en souvenir. C'est désobligeant de la dénigrer ainsi devant elle. Elle est fragile en ce moment.

Véronique Lupin recula la vidéo de quelques minutes et se réinstalla au fond de son sofa. Rose attendait. Quand elle s'éclaircit à nouveau la gorge, Véronique leva des yeux vides : de toute évidence, elle avait oublié que Rose était encore dans le salon et, plus encore, qu'elle n'avait pas répondu à sa requête. Rose était bien décidée à ne pas partir sans sa réponse.

— Mais qu'y a-t-il encore ? demanda Véronique Lupin excédée.

104

— Ai-je votre accord pour m'occuper de Colette en plus de… Pépette ? Si cela vous convient, je fais mon déménagement et m'installe dès aujourd'hui dans le petit studio. Je peux commencer dès demain matin.

— Que de bruit ! Faites comme bon vous semble. Je n'ai vraiment pas de salive à perdre aujourd'hui en négociations futiles. Mais souvenez-vous : votre priorité doit rester Pépette. Elle est tout pour moi. Cette chienne, c'est l'enfant que je n'ai jamais eu.

Ou voulu, pensa Rose.

— C'est entendu, alors. À demain, madame Lupin.

— C'est cela. Allez ! lança froidement Véronique.

Puis se retournant vers sa femme de ménage :

— Et vous, moins de bruit avec le balai ! Je n'entends rien de ma série.

20

En voiture, Simone !

En sortant de chez Véronique Lupin, Rose prit connaissance du programme que celle-ci avait préparé pour Pépette. Un véritable agenda de ministre : chaque semaine, trois rendez-vous chez un psychothérapeute pour chiens et deux séances de toilettage. Et chaque jour, un panier de courses chez Lenôtre, deux balades dans des parcs situés aux extrémités de Paris, et visite d'amis à quatre pattes probablement rencontrés au Racing. Sans oublier les séances de photo quotidiennes pour alimenter la page de Pépette sur les réseaux sociaux. Rose commençait à se rendre compte que ce toutou avait une vie bien plus remplie que la sienne. Pas forcément plus intéressante, cependant.

Pas étonnant que le chien soit perturbé ! On lui réserve un traitement de faveur digne de celui de la reine d'Angleterre, quand son seul exploit est de faire ses besoins uniquement là où il ne faut pas !

Il devenait évident que cela serait plus compliqué que prévu, de consacrer du temps à Colette. Surtout si elle devait parcourir tout Paris en transports en commun pour offrir le meilleur à cet animal pourri-gâté. Elle s'engageait dans la bouche de métro pour retourner à Noisy-le-Grand, s'occuper de son déménagement, quand une grosse berline noire ralentit près d'elle. La vitre se baissa et un homme, en tenue de chauffeur, s'adressa à elle.

— Mademoiselle, où allons-nous ?

Rose lui lança un regard noir. Il la prenait pour qui ? Une professionnelle ? Elle n'avait pas été insensible au « mademoiselle », qu'on ne lui servait pas aussi souvent qu'elle l'aurait souhaité, mais ce n'était tout de même pas des manières décentes de se faire draguer. Elle s'apprêtait à le lui faire comprendre quand il continua :

— Je suis le chauffeur de madame Lupin. Comme, aujourd'hui, elle ne sortira pas en public, après son rendez-vous de ce matin au cabinet esthétique, j'ai tout le loisir pour vous aider à faire votre déménagement. Si vous le souhaitez… À moins que vous n'ayez déjà prévu un autre moyen de locomotion pour ramener toutes vos affaires personnelles ? Vous habitez Paris ?

À Noisy-le-Grand, en moins de trois heures, toutes les affaires d'une vie furent empaquetées, ses meubles bâchés et le ménage fait. Rose avait réservé un box pour y stocker quelques meubles auxquels elle tenait, mais qui ne rentreraient pas dans le petit studio. Prudente, elle trouvait ce déménagement absolument prématuré et déraisonnable, puisqu'elle n'avait pas encore passé la période d'essai (à moins que ce ne fût la semaine précédente ?), mais Lili s'était montrée convaincante, encore une fois, en lui démontrant que, au pire elle pourrait venir habiter chez elle si elle devait se retrouver à la rue.

Une fois virée comme une malpropre par Véronique Lupin !

Rose avait décidé d'emporter avec elle les affaires de Baptiste, c'était comme des reliques à ses yeux. Les cahiers de comptines de la maternelle, les dernières rédactions du collège ou les photos de classe étaient les vestiges d'une époque dont elle était nostalgique.

Seul le cactus desséché avait été mis à la poubelle, sans aucun regret. Georges était revenu avec une camionnette et l'avait aidée à transporter les derniers objets, ceux qu'elle laisserait au lieu de stockage. Quand elle revint faire le tour de son appartement vide, elle eut un pincement au cœur. C'était la fin d'une ère. Quitter ce lieu avait le goût du deuil. Même si elle savait que

A CONSERVER
TICKET CLIENT
DEBIT

MONTANT
003 000032
CB

SANS CONTACT)))
CARTE BANCAIRE

CARTE BANCAIRE
SANS CONTACT)))

```
A0000000421010
CB
LE 23/01/19 A 16:36:23
RELAY 32337850
75323378RELAY
4242159
XXXXXXXXXXXX1906
35BE47E6D37B13F5
003 000035 198 C
MONTANT :
                7,70EUR
DEBIT
TICKET CLIENT
A CONSERVER
```

ce jour viendrait, elle ne l'avait jamais imaginé comme ça. Et surtout pas si tôt. Elle prit le dernier carton plein de photos et de lettres qu'ils s'étaient écrites, tira la porte derrière elle et dit adieu à sa vie précédente. À présent, elle allait de l'avant. Seule. Sans possibilité de retour en arrière.

Pluton serait content. Advienne que pourra !

21

Piétiner ses rêves
avant de cultiver le bonheur

Le studio de Rose était fonctionnel et, désormais, avec ses affaires, le grand espace donnait l'impression d'être un grenier accueillant, plein de promesses. La jeune femme avait installé ses photos, ses rideaux et couvertures colorées, et allumé un bâton d'encens pour se sentir comme à la maison.

Fatiguée de cette journée passée à faire et défaire des cartons, Rose s'installa sur son canapé et s'autorisa quelques minutes de répit. Elle prit la boîte qui contenait les photos et autres moments mémorables de sa vie avec Baptiste et entreprit un retour vers le passé.

Son cœur se serra en sortant sa première échographie et le petit bracelet de naissance bleu de la maternité. Sur les premiers clichés, elle se rappela soudain que Baptiste avait été un nouveau-né vraiment très maigre. Elle avait eu très peur à sa naissance qu'il ne s'accroche pas, qu'il perde trop de poids. Il avait été faible et avait eu du mal à se réchauffer tout seul, alors il avait passé la première nuit en couveuse, elle, derrière la vitre, à regarder ce tout petit torse nu se soulever avec régularité. Elle l'avait aimé dès cet instant. Quand, le lendemain, enfin, elle l'avait tenu entre ses bras, il avait agrippé son doigt et ne l'avait plus lâché. C'est à partir de ce premier lien qu'elle s'était juré de ne jamais plus être séparée de lui. Et leurs repas en amoureux avaient porté leurs fruits : comme s'il avait voulu la rassurer, il s'était bien rattrapé, gramme après gramme, en lui offrant de belles joues rebondies à croquer. Si on dit que tout se joue avant les six ans de l'enfant, Rose était sereine quant aux relations affectives qu'elle avait développées avec son fils : elle avait bisouillé son Baptiste jusqu'à l'overdose.

Finalement, pas si étonnant qu'il cherche à se décoller de sa mère.

Elle dénicha aussi un tout petit écrin, de ceux qui renferment d'habitude une belle bague. Elle y avait rangé les dents que la petite souris avait récoltées, nuit après nuit, sous l'oreiller. Ces quenottes représentaient de véritables diamants à ses yeux ! Si Colette découvrait ces petits trésors, elle en ferait sûrement une crise cardiaque.

Mais elle pourrait se dire heureuse : l'email était plutôt hygiénique, en comparaison avec le bout du cordon ombilical que Rose avait fini par jeter après quelques années, en se faisant violence !

Rose redécouvrit ensuite les cartes postales que son fils lui avait envoyées lors de sa première classe de neige, puis en classe verte, ou encore lors de ses nombreuses colonies de vacances. Son écriture, toujours appliquée mais irrégulière, laissait au passage quelques ratures, pas mal de fautes et, surtout, des bouffées d'amour. « Je t'aime Maman. » Dans ces lettres laconiques et passablement descriptives, il s'autorisait quelques dernières lignes sincères qui l'émouvaient encore aujourd'hui.

La jeune femme se fit la réflexion qu'on devrait toujours commencer par lire les dernières phrases d'un message. Ce sont toujours elles qui parlent avec le cœur et expriment vraiment ce que l'on n'ose pas dire dès le début. En fin de lettre, il y a cette espèce d'urgence qui trahit la peur de manquer de place et incite à enfin dire ce qu'il y a de plus important.

Ce retour en arrière lui faisait du bien. Son bébé avait grandi. Elle le savait, évidemment, mais elle n'avait pas mesuré à quel point il était prêt à faire ses propres expériences, sans elle. Expériences qu'elle appelait *erreurs,* mais que lui désignait tout simplement comme *la vie.*

Rose était décidée. Elle allait parler à Baptiste de son père, lui donner son nom, toutefois elle savait déjà que son fils serait frustré : elle n'avait aucun moyen de savoir où le papa était aujourd'hui, même avec la meilleure volonté du monde ! Ils s'étaient perdus de vue il y a plus de dix-huit ans, sans garder aucun contact. Rose avait même essayé de le retrouver sur Internet. Il était invisible, à croire qu'il faisait partie des rares personnes à ne pas avoir de profil Facebook.

Nostalgique, elle chercha dans le carton à souvenirs la seule photographie qu'elle avait gardée de lui et qu'elle avait cachée de nombreuses années pour ne pas avoir à affronter les questions d'un Baptiste trop jeune. Elle finit par mettre la main dessus. Elle était dissimulée dans une enveloppe.

L'homme paraissait très jeune – pas plus de 20 ans et déjà il portait une blouse de médecin. Le cliché semblait avoir été pris en extérieur, dans un pays chaud. Le jeune homme souriait d'un regard charmeur en direction du photographe. Rose retourna la photo, au dos se trouvait une inscription : *Pierre Chenais. 1998. Mali.*

La force du souvenir ravivé était intense. La blessure de leur séparation n'était pas complètement cicatrisée, même plus de dix-huit ans après. Rose remit la photo dans l'enveloppe et glissa le carton sous le lit.

Cette nuit-là, la jeune femme fit des rêves étranges. Elle se trouvait dans la navette spatiale de *Star Wars*. Tout était très confus, mais il semblait qu'elle était dans la peau de Baptiste. Soudain Dark Vador apparaissait et lui révélait d'une voix synthétique : « Je suis ton père. » Rose espérait que Pierre n'avait pas tant changé !

22

La bave de la blanche colombe

Premier jour officiel. À 8 heures, Rose était prête. Dans l'entrée de Véronique Lupin, elle était venue chercher Pépette. Le froid polaire soufflait au-dessus d'elle. Rose se dit que, le lendemain, elle enfilerait un Damart : à ce rythme-là, ce ne serait pas un kilo qu'elle perdrait, mais sa santé.

Dans le panier de luxe, pas de trace du chien qu'elle était censée sortir. Aucun signe non plus de la présence de Véronique, ni même de Colette, qui devait être dans son appartement. La jeune femme siffla pour que le cabot rapplique, mais il restait invisible.

Elle s'autorisa à parcourir chaque pièce, sur la pointe des pieds, à la recherche de la boule de poils, quand elle tomba nez à nez avec Véronique Lupin. Celle-ci lui lança des éclairs avec ses yeux. Ses lèvres et ses joues avaient quelque peu dégonflé, mais elle gardait un petit air d'*Elephant Man*.

— Vous cherchez ? lança Véronique Lupin dans un souffle glacial.

Elle venait probablement de passer des heures dans son frigo amincissant. Rose s'apprêtait à s'excuser et à se lancer dans un plaidoyer exhaustif, quand elle se souvint que son employeur n'aimait pas perdre son temps, encore moins avec les *petites* gens. Rose opta pour une réponse directe.

— Pépette. Je ne l'ai pas trouvée dans son panier. Je voulais l'emmener faire sa balade matinale. Voulez-vous que je fasse quelques courses pour le déjeuner ou le dîner ?

— Mais qu'est-ce que j'en sais ? Pensez-vous vraiment que c'est à moi d'ouvrir le frigo ? Vous croyez que je paie des employés pour devoir tout faire moi-même ?

— Non, bien sûr, Madame. Je m'en occupe.

— Mais vous ne comprenez rien. Vous êtes payée, et très grassement, pour prendre soin de Pépette. Point. Occupez-vous de vos oignons et les moutons seront bien gardés. De toute façon, débrouillez-vous, j'emmène la cuisinière avec moi pour la semaine. Dans les conférences de Richard, on mange toujours mal, et trop.

La cuisinière ? Mais je n'ai jamais vu de cuisinière ici ? Je ne comprends rien !

— Entendu. Pour quand devons-nous prévoir votre retour ?

— Quand cela me chantera. Ce n'est pas à vous que je vais rendre des comptes, quand même ? Allez, oust. J'ai des choses importantes à faire.

Ses ongles, pensa Rose.

— Et pour Pépette ? osa-t-elle.

— Dans mon lit, que croyez-vous ? J'ai un cœur, quand même. Je ne vais pas laisser mon pauvre bébé grelotter derrière ma porte.

Je croyais qu'il avait gelé comme le reste.

Véronique Lupin entra dans la chambre, saisit sa bestiole encore endormie, entièrement lovée dans les draps tout doux de sa maîtresse, et la tendit à Rose.

— Et faites preuve d'initiative, bon sang ! Je m'absente plusieurs jours, vous allez devoir vous en sortir seule. Georges pourra vous déposer où bon vous semble, mais à vous de veiller sur la maison. D'ailleurs, j'invite prochainement quelques personnes importantes. Il faudra que Pépette soit irréprochable et nous fasse des petits numéros.

— Importantes, comment ?

— Qui comptent politiquement. Il y a un nouveau projet de centre d'hébergement pour sans-abri, que la maire de Paris veut construire juste en bas de chez nous. Vous vous rendez

117

compte, nous atteignons un niveau d'indécence inimaginable. En un an déjà, nos appartements ont perdu 10 % de leur valeur à cause de ces sans-abri qui rôdent et fouinent dans nos poubelles. Alors si on leur construit un logement fixe, cela va être la dégringolade ! Mais on ne se laissera pas faire ! C'est nous qui payons des impôts dans ce pays, nous qui tenons la France debout, tout de même. Tiens, j'y pense, je dois reprogrammer mon rendez-vous avec mon conseiller en optimisation fiscale…

Eh bien voyons !

Véronique Lupin avait réussi à faire taire son employée. Rose était bouche bée depuis plusieurs secondes. Elle espérait que sa patronne se mette à rire et lui confirme qu'il s'agissait d'une blague de mauvais goût. Mais rien ne vint. Ce fut quand Pépette commença à s'agiter dans les bras de la jeune femme que cette dernière sortit de sa torpeur et se décida à quitter l'appartement. Elle avait besoin d'air. Pas de cet air froid, aseptisé, mais celui pollué de la rue, qui transpirait la vie.

23

Aux grands maux les grands remèdes

Véronique lui sortait par les narines. Rose se dirigea d'un pas décidé directement vers le Café des Batignolles. Pépette, à la traîne, avait du mal à la suivre. Le charmant garçon de café, Edgar, l'accueillit avec un grand sourire et lui prépara un cappuccino fumant sans qu'elle ait eu besoin de le lui commander. Il se montrait toujours tellement bienveillant qu'ils avaient fini par faire plus ample connaissance. Discuter avec quelqu'un d'extérieur était rare et très agréable. Rose prit conscience que, pour la première fois depuis longtemps, elle avait ses habitudes quelque part.

Elle pensa à Colette. Cette femme était déroutante et mystérieuse. C'était difficile à imaginer, mais elle n'avait pas toujours vécu recluse : Georges le chauffeur lui avait appris que la vieille dame avait autrefois conduit sa propre voiture, qu'elle avait travaillé toute sa vie, bien qu'elle n'en eût pas eu besoin. Des heures et des heures de son temps au service des autres. Il avait décrit à Rose une tout autre Colette, tournée vers la vie, vers le monde extérieur, sociable et serviable. Cela aiguisait davantage sa curiosité. Que lui était-il arrivé pour s'être renfermée à ce point ?

Le petit chien s'agitait entre ses jambes. Rose n'avait pas la moindre envie de retourner dans le frigo de Véronique. Edgar, comme s'il avait senti son désarroi à l'idée de quitter le café, lui proposa une tasse de chocolat chaud tandis qu'il entraînait l'animal un peu plus loin pour lui faire faire des exercices basiques de dressage, aidé d'un bout de croissant. Le jeune homme était plutôt doué et le cabot se montrait coopératif. Assis, couché, debout : un petit morceau. Rose les regardait de loin, reconnaissante de ce moment de répit. Elle parcourait le journal, en évitant cette fois la rubrique des faits divers, quand un groupe de joyeux commerçants entra dans le café. Edgar vint les saluer et ils s'assirent à la table voisine. Ensuite, il s'adressa à Rose :

— Rose, je me permets de vous présenter mes amis. Morgane, Isabelle, Anne, Laurent. Ils ont tous un commerce dans le quartier et commencent leur journée ici, ensemble, autour d'un café. C'est un petit rituel ! Morgane tient la boutique pour vêtements d'enfants. Isabelle, la boulangerie. Anne, la petite brocante. Et Laurent est fleuriste-paysagiste.

D'un timide hochement de tête, Rose les salua. Chacun d'entre eux eut un sourire pour elle, un geste de la main, un regard bienveillant. C'était peu de chose, mais, pour la jeune femme, c'était beaucoup. Edgar continua :

— Rose habite le quartier depuis peu. Elle travaille pour madame Lupin, fille. *La* Véronique.

Tous se lancèrent des regards entendus. Isabelle la boulangère la regarda d'un air compatissant :

— Oui, j'avais reconnu le chien !

Laurent le fleuriste poursuivit en riant :

— Sachez, chère Madame, que vous avez toute mon admiration !

Rose eut un sourire gêné.

— C'est à ce point-là ?

— Mais non ! Ils exagèrent ! lança Anne.

— Vous avez un petit bébé, non ? lui demanda Morgane. Je vous ai vue à la boutique l'autre jour en train de regarder les grenouillères !

Rose sentit les larmes monter. Elle n'allait tout de même pas craquer à la première question. Ils avaient tous l'air si sympathiques. Ce serait dommage qu'ils la prennent pour une dépressive au bout du rouleau à la première rencontre. Fort heureusement, Edgar reprit la conversation :

— Tu rigoles ! Rose a déjà un fils de 18 ans ! On dirait pas comme ça !

— Oh, vous ne faites pas votre âge, poursuivit Anne.

Rose rougissait. Elle sentait ses joues chauffer.

— Vous me flattez, là !

Edgar, en servant leurs cafés à ses voisins commerçants, allait sans le vouloir répondre aux interrogations de Rose.

— Vous savez, Rose, ils connaissent bien Colette aussi ! Ils l'ont beaucoup côtoyée à l'époque où elle sortait encore.

— C'est dommage, je l'aimais bien ! dit Laurent en avalant un énorme morceau de tarte aux fraises. Elle s'arrêtait toutes les semaines à la boutique pour s'acheter un bouquet d'œillets. Une fois, j'ai voulu les lui offrir, mais elle a refusé ! Je me souviens qu'elle m'avait dit : « Voyons, jeune homme, vous savez bien que ça porte malheur d'offrir des œillets ! » Elle était drôle, cette petite dame !

— Je ne savais pas ! dit Morgane. J'en offre souvent à ma belle-mère. En même temps, c'est peut-être un acte manqué : elle me sort par les yeux avec ses allusions déplacées. « Il serait quand même temps de penser à faire un bébé… » « L'horloge tourne. » Comme si l'attente n'était pas déjà assez dure à vivre comme ça.

Anne, pour la réconforter lui lança, enjouée :

— Je te le dis, je le sens, la prochaine FIV, c'est la bonne !

Tous se mirent à croiser les doigts, toucher le bois de la table ou encore le sommet de leur tête comme pour défier la malchance. Et Rose était émue de voir ces gens simples livrer leur intimité spontanément.

Rose se prit de sympathie pour ce brin de femme, Morgane, qui lui avait donné l'impression d'être forte au premier abord, avec sa voix rauque, mais qui, une fois éraillée par l'émotion, l'avait rendue si fragile. Morgane continua :

— Colette était aussi une de mes meilleures clientes, elle m'a acheté une montagne de vêtements pour enfant. Au début, je pensais qu'elle était grand-mère et qu'elle achetait des cadeaux à ses petits-enfants, et puis j'ai compris qu'elle faisait des dons aux associations, elle m'avait raconté que sa folledingue de fille ne voulait pas de gamins. Ça la rendait triste, j'ai l'impression. C'est bête, la vie, elle aurait fait une mamie super.

Isabelle poursuivit :

— C'est vrai qu'on a nos clients habituels, et puis ça fait drôle de ne plus les voir du jour au lendemain. Du temps de Colette, c'est elle qui faisait les courses, qui achetait son pain et ses chouquettes elle-même. Maintenant, la plupart du temps, ce sont les employées de sa fille que je vois défiler. D'ailleurs, rares sont celles qui restent. Je dis pas ça pour vous faire peur, Rose, mais la plupart font long feu. C'est qu'elle est insupportable, la Véronique.

Rose était stupéfaite d'entendre toutes ces choses à propos de Colette et de sa « vie d'avant », cela l'intriguait d'autant plus. Elle répondit aux commerçants :

— Excusez-moi, mais j'ai l'impression que vous parlez de quelqu'un qui est mort... On aurait dit un hommage. Colette est toujours vivante !

Edgar acquiesça. Et Laurent, gêné, répondit :

— Je dois avouer qu'au début c'est ce que j'ai cru en constatant qu'elle ne passait plus.

— Moi aussi ! ajouta Isabelle.

— Elle a toujours la table de ferme que je lui avais vendue il y a quelques années ? demanda Anne. Elle venait souvent flâner dans mon magasin, elle aimait retrouver de vieux objets, ceux qui ont une âme, pas comme chez sa fille, elle disait.

Rose comprenait enfin pourquoi elle s'était autant attachée à Colette. C'était une sensible, un peu du même acabit qu'elle. Dans le fond, toutes les deux se ressemblaient.

Elle s'arrêta un instant, les dévisagea tous et prit une grande décision.

24

La moutarde qui monte au nez

Colette était enfoncée dans son fauteuil club, à lire le journal que Rose lui avait rapporté le matin, quand on sonna à la porte. C'était étonnant : Rose avait les clés. La vieille femme fit la sourde oreille et se replongea dans son article, tandis que l'on s'acharnait à nouveau sur la sonnette.

En rouspétant, la petite dame trottina jusqu'à la porte. À travers l'œilleton, elle vit plusieurs silhouettes. Elle recula d'un pas, décidée à ne pas ouvrir à des démarcheurs et encore moins à des témoins de Jéhovah, car elle n'était pas d'humeur à tenir un débat mystique. La porte s'ouvrit subitement.

— Surprise ! cria Rose tout excitée par son effet. Vous vous souvenez d'eux, Colette ? Anne, Morgane, Laurent et Isabelle : je ne vous présente pas Colette, que vous connaissez mieux que moi !

Colette ajusta ses lunettes sur son nez et dévisagea les intrus qui squattaient son entrée. Ils ne lui étaient pas tout à fait inconnus, mais elle avait du mal à les remettre. Elle se demandait surtout ce qu'ils faisaient à attendre dans *son* entrée, à faire le pied de grue comme des bouchots à moules espérant la marée montante.

— Oui, je crois… Vos visages sont familiers… Ah mais oui, bien sûr ! Entrez !

Colette mimait l'enthousiasme, mais elle était une bien piètre comédienne. Rose eut un sourire crispé à l'attention de ses invités et enchaîna :

— À table ! J'ai acheté une choucroute. Ensuite, on pourra déguster le dessert que Colette a préparé ce matin. Vous étiez loin de vous douter qu'on serait plusieurs à le partager, hein ? Je suis excitée comme une puce ! Ça va, Colette, ça vous fait plaisir ?

Autour de la table de ferme, six sièges. Pour une fois, tous occupés. Debout, près du four, la vieille dame surveillait son far breton qui montait doucement en température. Dans la cuisine régnait un silence gênant. Rose commençait à douter de son idée, qui, sur le papier, lui semblait pourtant géniale.

Morgane, Anne, Isabelle, Laurent : ils avaient tous connu Colette à l'époque où elle parvenait encore à sortir de chez elle. Et ils l'appréciaient tous. Cependant, maintenant qu'ils étaient réunis autour de cette ancienne connaissance, à raconter les derniers potins du quartier, la magie n'opérait pas.

En souvenir d'un temps pas si lointain, et pour faire plaisir à la vieille dame, Isabelle la boulangère avait apporté des chouquettes et Laurent un bouquet d'œillets. Mais la discussion était au point mort. Colette, qui avait fini par s'asseoir et servir une part de far à chacun, écoutait la conversation de manière distraite en terminant ses mots croisés, puis elle s'absenta d'un coup, et ce, pendant près d'une demi-heure. Les commerçants, qui avaient pris sur leur pause-déjeuner pour lui rendre visite, durent s'éclipser avant son retour. Ils repartaient le ventre plein (surtout Laurent, qui avait repris deux fois du gâteau), mais le cœur en bandoulière.

Quand Colette revint dans la cuisine, les cheveux mouillés par une énième douche, Rose ne put s'empêcher de hausser le ton.

— Vous exagérez, Colette. Je réussis à faire venir des personnes que vous connaissez, et vous les ignorez superbement. Vous allez même jusqu'à les abandonner pour prendre votre douche ! Ce ne sont pas des manières. Excusez-moi de vous le dire.

Colette, l'œil rond, ne comprit tout d'abord pas l'accusation de Rose. Elle s'apprêtait à quitter la pièce pour échapper à cette discussion ridicule, quand elle se ravisa et lâcha :

— Mais vous m'avez demandé mon avis ?

Rose était interloquée. Sur sa chaise, elle se balançait pour masquer son malaise.

Comment ça, son avis ? Sur quoi ?

— Vous croyez savoir ce qui est bon pour les autres. Vous êtes ce genre-là, n'est-ce pas ?

— Mais enfin, Colette, je pensais que ça vous ferait plaisir, ce sont des gens qui vous apprécient beaucoup !

— Eh bien, je n'avais peut-être pas envie d'être prise au dépourvu ! Vous n'avez aucune idée de ce que je ressens ! De quel droit vous vous permettez ?

Rose continua de plus belle :

— Et alors, c'est votre excuse ? Combien de temps encore comptez-vous éviter de vivre, Colette ? Je ne pourrai pas continuer ce travail si je ne peux pas vous aider. Je me sens aussi inutile qu'un crayon de couleur blanc !

— En fait, vous savez quoi : arrêtez ! Arrêtez de vous occuper de moi ou d'essayer de me sauver. Je ne vous ai rien demandé. Bien sûr que j'aimerais redevenir comme avant, retrouver une existence normale, retrouver des amis, voir la couleur du ciel, respirer l'air pur des arbres,

129

l'odeur des fleurs du parc. Mais je ne peux pas. Et au cas où vous n'auriez pas remarqué : votre vie est bien plus ratée que la mienne. Regardez comme ma fille vous mène par le bout du nez. Ce qu'il vous faudrait, c'est un bon coup de pied au derrière ! Dommage que personne ne s'intéresse assez à vous pour vous le donner.

Comme frappée par la foudre, Rose en tomba de sa chaise.

25

Voler dans les plumes

Colette y était allée un peu fort et essaya de rattraper les choses. Ironie du sort, c'était désormais elle qui proposait son aide :

— Je veux bien être celle qui vous botte les fesses, si vous le voulez, osa-t-elle. À 40 ans, il vous reste plein de temps pour corriger le tir : votre vie n'est pas complètement foutue.

— 36 et demi, s'il vous plaît ! Vous essayez de me remonter le moral, là ? C'est raté.

— Déjà, il vous faut des amis. Arrêtez de juste parler aux autres et commencez à tisser des vrais liens avec ces personnes. Laurent et toute la bande. Faites-le pour vous, pas pour moi. Quand votre sœur aura quitté Paris dans quelques mois, vous serez bien contente d'avoir des copains sympathiques avec qui faire causette.

Rose avait l'impression d'entendre son père lui répéter encore et encore ce sage conseil. À croire que Colette lisait en elle aussi bien que lui.

— Vous savez, j'ai du mal à me confier : ce n'est pas un hasard si ma sœur est ma meilleure amie.

— On va résoudre toutes vos difficultés, mais une à la fois. Et si on commençait par la cuisine ? Je ne sais pas comment on retient un homme, mais pour l'attirer, il va falloir l'impressionner, et je ne suis pas sûre que vos plats surgelés soient à la hauteur. Alors, vous allez me faire le plaisir, après votre café du matin, d'aller nous acheter les ingrédients que je vous aurai indiqués : je vous apprendrai une nouvelle recette chaque jour. Sur un malentendu, un jour, cela pourrait servir.

— Vous savez, ils sont très bons mes petits plats surgelés, on n'y voit que du feu, répondit-elle vexée, mais, d'accord, après tout pourquoi pas ? Ça nous occupera !

— Dernière chose, Rose. S'il vous plaît : affirmez-vous !

— Mais je m'affirme !

— À d'autres… Commencez par vous exercer sur le chien. Vous n'avez rien à perdre avec lui : vous n'avez qu'une envie, je l'ai bien vu, c'est qu'il vous laisse en paix…

26

Se rendre à l'évidence

Après avoir cherché plus de vingt minutes la maudite laisse de Pépette, Rose était fin prête pour sa mission express autour du pâté de maisons. Dans l'ascenseur, la petite bestiole n'arrêtait pas de lui jeter de drôles de regards interrogateurs, comme si elle découvrait, elle aussi, qu'il existait un monde extérieur.

Tout d'abord, direction le parc pour une balade rapide et une vessie soulagée. Tirant le chariot de grand-mère que Colette lui avait fortement suggéré de prendre, car « les patates, ça pèse le poids d'un âne mort », Rose n'avançait pas très vite. Le chien, quant à lui, avait décidé de ne pas être du tout collaboratif. Il refusait de bouger. Rose était à deux doigts de le traîner derrière elle. Il était hors de question qu'elle cède aux chantages d'un poids plume. Si elle ne parvenait pas à s'imposer avec ce roquet, aucune chance de réussir auprès de quiconque.

De toute évidence, ce beau Loulou de Poméranie parfaitement toiletté n'avait pas l'habitude de devoir se déplacer par lui-même. Rose repensa alors au sac Louis Vuitton qui gisait dans l'entrée et qui devait très probablement servir à transporter la bête partout où Véronique se rendait. Mais, avec Rose, *Minus* allait devoir suivre ses règles. Et marcher au pas.

Ils étaient loin d'avoir fait le tour du parc et l'heure tournait. Excédée, la jeune femme regardait l'animal allongé de tout son flanc, qui acceptait son destin d'être tiré comme un boulet jusqu'à l'appartement, quand elle eut soudain une idée. Elle sortit de sa poche une des friandises pour chien qu'elle avait achetées le matin même, se souvenant d'une publicité qui vantait des dents plus saines pour des toutous moins ronchons (ou quelque chose de cet ordre), et la tendit à *Grincheux*.

Aussitôt, la bestiole se redressa sur ses pattes et courut attraper l'os, qu'elle cala entre ses crocs minuscules. Rose en profita pour avancer. Désormais, derrière elle, le petit chien trottinait, occupé à mâchouiller. Mais, après la moitié de la promenade, toujours pas de pipi.

Lors de leurs courses chez les commerçants, Rose découvrit stupéfaite que le steak haché n'était pas *né* emballé dans son plastique ovale. Il avait eu une vie avant ! Une vie qui s'achevait rudement sous ses yeux : un beau morceau de viande rouge venait de passer à travers le hachoir en quelques secondes. Rose se dit que, la prochaine fois, elle ferait profiter de ce spectacle à *Moustique*, afin qu'il arrête de faire le fanfaron, lui, son 1,5 kg à tout casser, et ses talents incontestables d'acteur. En effet, sur le chemin du retour, son bonbon terminé, le petit cabot s'était tout à coup mis à boiter. Dès qu'elle se retournait pour l'inciter à faire ses besoins avant d'arriver à l'appartement, il passait d'un trottinement rapide à un pas traînant. Il cherchait par tous les moyens à l'amadouer, se doutant qu'elle avait plus d'une friandise dans sa poche. Mais Rose n'était pas Véronique et elle ne se laisserait pas attendrir par une boule de poils manipulatrice.

Bien évidemment, l'envie de pipi revint juste devant leur immeuble et le petit chien se soulagea longuement, sous les yeux effarés de la gardienne, que Rose salua prestement en feignant d'être attendue. Était-elle si pressée de retrouver Colette pour écraser des pommes de terre et confectionner un hachis parmentier de folie ? Encore moins avec la chaleur étouffante de juin. Colette aurait pu lui apprendre la recette de la paella ou du gaspacho, cela l'aurait plus bottée.

À son retour, Rose retrouva Colette sur le canapé de Véronique. Elle semblait préoccupée. Rose la devança en présentant ses excuses : leur périple canin avait pris le double du temps initialement prévu. Colette semblait ne pas l'avoir entendue. Elle fixait une bouteille de vinaigre blanc. Rose l'appela par son prénom à plusieurs reprises, mais il semblait que « le correspondant était actuellement occupé, et qu'il répondrait dès que possible ». D'ici quelques millénaires, à en juger par le caractère imperturbable de Colette. Comme sous hypnose. Ou peut-être était-elle somnambule et vivait-elle actuellement une transe intense.

— Alors, on se le fait, ce hachis ? demanda tout d'un coup la mère Lupin.

Rose sursauta. Les mots de sa sœur, Lili, lui revinrent en tête. *On n'a jamais besoin d'une dame de compagnie pour les cas faciles...* Oui, c'était sûr, ce ne serait pas de la tarte : Colette en tenait une couche.

27

Le lundi, des patates !

Colette, 45 kg toute mouillée, dégageait une énergie impressionnante une fois derrière les fourneaux. Si la recette était simple, elle n'en demandait pas moins de l'organisation. La cuisinière veillait au grain et Rose jouait les commis dociles. Mais il fallait bien être honnête : elle était nulle, absolument inutile, de ceux qui ralentissent un groupe. Elle avait à peine pelé un quart de pomme de terre, le temps de comprendre comment marchait cet étrange économe, que Colette avait déjà épluché, taillé et ébouillanté quatre patates.

Colette surveillait Rose, se demandant sincèrement où se cachait la difficulté de l'exercice… De son côté, Rose savait déjà qu'elle ne cuisinerait plus jamais avec Colette, ni ne retenterait de faire un hachis. Que d'efforts, de temps perdu, alors qu'il en existe de si bons, tout prêts, ne pouvait-elle s'empêcher de penser. Elle se prêtait au jeu pour faire plaisir à la vieille dame, mais il fallait vraiment que celle-ci vive dans son temps et comprenne que les femmes actives n'ont pas que cela à faire, que de préparer un gigot après une journée de travail !

Rose avait bien essayé de réorienter la conversation. Non pas que la vie d'un pressoir ne la passionnât pas, mais elle aurait aimé en savoir plus sur cette étrange femme, sur ce qu'elle faisait avant, sa relation aux autres, avec sa fille, notamment… Chacune de ses tentatives s'était conclue par un recadrage strict sur la prochaine étape culinaire. Peut-être que la gastronomie était un sujet trop sérieux pour que Colette puisse considérer papoter en même temps. Rose avait même essayé de parler de sa vie à elle, pour rompre la glace, mais elle s'était fait vite rabrouer par le Chef du jour, pas même attendrie par ses yeux remplis de larmes :

— Les oignons, plus fins !

Une fois le hachis parmentier gratinant au four, Colette proposa de s'attaquer au dessert : une crème brûlée.

C'est sa tête qui est brûlée, pensa Rose.

— Vous ne voulez pas plutôt que je vous fasse ma spécialité ? Je crois que j'en ai besoin. Un

Spritz ! Un petit remontant bien frais nous ferait du bien : qu'en pensez-vous, Colette ?

— Si l'idée de boire pendant que vous travaillez ne vous dérange pas, alors pourquoi pas… Je déteste trinquer seule, contrairement à ma fille.

— Vous avez raison, Colette. Faisons plutôt un Virgin Mojito. C'est comme un Mojito, mais sans alcool. Cela nous fera du bien : il fait si chaud ! D'ailleurs, descendons quelques instants chez Véronique si cela ne vous dérange pas : la climatisation nous rafraîchira. J'ai comme des bouffées de chaleur. Si je n'avais pas 36 ans, je commencerais à m'inquiéter…

— Vous n'avez jamais entendu parler de la ménopause précoce ? demanda Colette accrochée au bras de Rose, qui l'aidait à descendre les dernières marches.

28

À la tienne, Étienne !

Rose n'avait jamais été aussi pompette avec un cocktail sans alcool. À croire qu'elle s'était trompée dans la préparation. Même Colette était devenue, enfin, un peu plus loquace. Près d'elles, *Tequila Paf* ne perdait pas une miette de la discussion, ni des gressins maison au sésame que Rose avait confectionnés sous le regard pointilleux de son professeur.

Colette posait beaucoup de questions et se dévoilait le moins possible.

— Mais je ne comprends pas une chose, Rose. Vous avez fait des études, passé et eu votre baccalauréat, puis tout arrêté du jour au lendemain pour devenir nourrice ?

— Pour devenir « mère à plein temps » serait plus exact. Baptiste est arrivé et ce n'était pas prévu. Certaines diraient « erreur de jeunesse ».

Moi, je dirais « la plus belle surprise » de ma vie. Même si le papa n'était pas à mes côtés, il était évident que ce bébé était la chose la plus merveilleuse qui pouvait m'arriver. J'ai été nounou les trois premières années de sa vie pour pouvoir rester près de lui tout en m'occupant d'autres enfants. J'ai continué par commodité. Et voilà : déjà dix-huit ans ont passé, et je suis restée nounou. À l'époque où je suis tombée enceinte, je préparais le concours d'infirmière. J'étais douée, malheureusement, je n'ai jamais pu passer l'examen.

— Et vous ne l'avez jamais retenté ?

— Non. J'y ai renoncé. C'est trop tard maintenant.

— «Trop tard» : vous n'avez que ça à la bouche ! Qu'est-ce que vous êtes déprimante... Croyez-moi, à force de s'occuper des autres, on finit par s'oublier soi-même... Votre fils ne mesurera jamais l'ampleur des sacrifices que vous avez faits pour lui.

— Ce ne sont pas des sacrifices. Je n'ai fait que mon devoir. Et puis, j'ai l'habitude. C'est comme ça. J'ai toujours fait passer les besoins des autres avant les miens... Oui, j'ai été maman très jeune. J'ai su gérer, parce que je l'avais déjà fait pour ma grande sœur et mon papa, quand ma mère nous a quittés à mes 10 ans. Vous vous doutez bien que les plats que je leur préparais n'étaient pas de la grande cuisine, mais j'y mettais tout mon cœur et ils ne se sont jamais plaints. Cette année, c'est mon père qui est parti. Et encore, vous ne connaissez pas la meilleure... Moi, j'ai besoin d'un petit remontant, faites comme bon vous semble, Colette.

Rose se leva et alla chercher la bouteille de rhum. Elle remplit le fond de son verre, compléta le cocktail qui n'avait plus rien de *virgin*.

— La meilleure ? relança Colette.

— La meilleure, je disais, c'est que dans quelques mois je serai grand-mère. Eh oui ! Donc, il ne me manque plus que la ménopause précoce, comme vous dites, et le compte est bon !

Un peu trop pompette, Rose reposa son verre et s'excusa auprès de Colette.

— Je suis désolée. Je ne voulais pas vous ennuyer avec mes problèmes personnels. Je dépasse les bornes. Ce n'est pas du tout professionnel. Tout cela me pèse tellement, et, à part ma sœur, je n'ai plus personne avec qui en parler... Si ma mère était encore là, elle aurait peut-être su m'aider...

— Vous savez, ce n'est pas parce que vos proches sont encore en vie qu'ils sont parfaits ou dignes de donner des conseils. Votre mère n'aurait sûrement pas fait mieux que vous dans pareille situation.

142

Les deux femmes se regardèrent en silence, perdues dans leurs pensées. Rose termina son verre cul sec avant de se jeter à l'eau.

— Qu'est-ce qu'on fait, nous deux ? Cette semaine, je veux dire ? Il y a peut-être des choses qui vous feraient plaisir. Je vous jure de ne pas vous forcer.

Colette ne répondit pas. Elle sentait venir le piège. On ne voulait jamais lui imposer quoi que ce soit, pourtant on la jugeait. On la disait « fainéante », « à en rajouter », ou on la sermonnait : « Faire des efforts de temps en temps, ce n'est pas la mer à boire ! » Elle n'avait rien à prouver, ni à personne. Elle, elle savait qu'elle n'avait pas toujours été ainsi.

Elle se remémorait encore cette petite route de campagne. Le jour où tout avait basculé. Elle se rendait au siège de l'association pour jeunes mères célibataires où elle travaillait comme bénévole. Une retraitée active, comme on en fait peu, s'entendait-elle dire. Et puis, la panique l'avait submergée, les spasmes s'étaient emparés d'elle et elle n'était plus parvenue à se contrôler. Incapable de reprendre le dessus. L'impression d'étouffer. De mourir. Et la voiture qui avançait seule, sur chaque mètre des 8 kilomètres à parcourir, feux de détresse allumés, avant de s'échouer sur un petit terre-plein. Elle avait pleuré sans discontinuer pendant plus d'une heure. De peur. Le corps tressautant de convulsions irrépressibles. Les yeux aveuglés par tant d'années de larmes retenues. La sensation d'avoir atteint un point de non-retour. D'être arrivée au jour d'après. Ce n'était pas un événement précis, mais une accumulation de choses qui l'avait amenée là. L'impression d'échec qu'elle tentait de combler par une vie sociale bien remplie. Tout cela ne lui suffisait plus.

Derrière elle, dans le rétroviseur, un passage piéton et un panneau qui indiquait qu'une sortie d'école se trouvait non loin de là. Elle aurait pu blesser un enfant. Pour la première fois, elle comprit que les frustrations accumulées l'avaient transformée en péril ambulant pour les autres. C'était cette idée qui la hantait et l'avait définitivement convaincue que, à l'extérieur, il n'y avait rien de bon pour elle. Ainsi, elle avait décidé de ne plus jamais conduire, de ne plus jamais retourner travailler. Bref, de ne plus jamais sortir de chez elle. Pour ne plus être un danger.

Colette avait pris conscience qu'en croyant bien faire, depuis des années, elle provoquait des catastrophes. La plus grande d'entre elles étant sa propre fille, Véronique, qui était devenue sous ses yeux un monstre d'égoïsme, sous une épaisse couche de superficialité. Elle n'avait rien vu venir. En s'investissant à corps perdu dans ses associations, elle n'avait pas pris conscience qu'elle avait délaissé Véronique : le moindre chien perdu passait avant elle ! La culpabilité la rongeait désormais. Véronique suivait une thérapie et cela avait fait ressurgir ses propres fantômes. Colette dut admettre qu'elle était dans le déni. Elle n'avait rien vu des souffrances de sa fille, rien vu de sa boulimie, de sa fragilité. Désormais, elle était punie d'avoir été aveugle.

Véronique se vengeait en l'ignorant, tout comme elle s'était sentie ignorée pendant des années. L'amour qu'elle donnait à son chien, c'était comme une provocation. Colette s'était résignée, comment pouvait-elle avoir goût à quoi que ce soit alors que, manifestement, elle méritait moins de considération qu'un animal ?

Quand Rose lui proposa une nouvelle fois de se promener, d'aller voir les jardins, d'écouter les oiseaux chanter, de boire un cappuccino au café d'en bas, voici ce qu'elle aurait aimé lui raconter. Pas pour s'excuser ou se dédouaner. Ni pour avoir la paix. Mais pour que Rose comprenne qui elle avait été *avant*. Pourtant, Colette se tut et répondit à l'énième proposition par un simple « non ».

29

Arrête de me raconter des salades

Attablée en face de son cappuccino, avec cœur en option dans sa mousse de lait, Rose racontait à Edgar ses déboires avec Colette suite à la visite qu'elle avait organisée avec les amis commerçants des Batignolles. La jeune femme reconnaissait qu'elle était allée trop vite, et s'en voulait : elle avait manqué de tact. Edgar se serait bien joint à eux pour la petite sauterie chez la vieille dame, mais il avait dû faire tourner son établissement.

Quand il arriva au comptoir et vit la mine déconfite de Rose, Laurent vint s'asseoir en face d'elle. Rose lui raconta la discussion houleuse qu'elle avait eue avec Colette. Laurent se plongea subitement dans une réflexion silencieuse. Longue. Très longue, pendant laquelle il ne toucha même pas à son Paris-Brest. Rose lançait des regards interrogateurs à Edgar pour comprendre si le mutisme du jardinier était habituel, quand celui-ci déclara :

— Je sais, Rose, j'ai trouvé : je sais ce qu'on peut faire pour Colette.

Sur ces mots, il avala un chou praliné.

Le lendemain, ils étaient tous les deux à pied d'œuvre. Pépette ne comprenait vraiment rien à tout ce remue-ménage. Son pelage blanc devenait imperceptiblement beige, mais cela ne semblait déranger personne.

Laurent ne chômait pas, il transpirait à grosses gouttes. Rose l'aidait, soulevait de gros pots, coupait, creusait. Pépette aurait bien creusé elle aussi, mais elle n'avait jamais touché cette matière brune et odorante.

Les travaux durèrent deux après-midi entiers. Rose faisait des allers-retours auprès de Colette, pour que cette dernière ne se doute de rien. La jeune femme avait aussi dû prendre des libertés avec les obligations de toilettage et de psy pour chien, mais elle sentait que, cette fois, tout cela en valait la peine. La surprise allait être grandiose.

Alors, quand tout fut prêt, Rose s'endormit, ravie de la joie à venir pour Colette.

30

Faire du neuf avec du vieux

La vieille dame dormait encore. Rose était penchée au-dessus d'elle et l'observait dans son sommeil. Colette était paisible. Rien ne pouvait laisser deviner le trouble qui l'habitait et qui l'avait tenue éveillée une bonne partie de la nuit.

Rose était surexcitée et impatiente. Elle n'avait qu'une envie : réveiller Colette et lui dire qu'elle avait une surprise extraordinaire pour elle. Mais celle-ci dormait. Comme, aux matins de Noël, c'était toujours la jeune maman qui était levée en premier, avant Baptiste, et finissait immanquablement par se retrouver dans la chambre de son fils, à tourner, virer, jusqu'à le réveiller, pour enfin voir le large sourire illuminer son visage à la découverte des cadeaux entreposés par le père Noël sous le sapin.

Quand 9 heures sonnèrent à la grosse pendule, Rose racla bruyamment au sol la chaise sur laquelle elle était assise. Colette ouvrit un œil, puis se retourna et se remit à ronfler, en l'ignorant superbement.

Vexée, Rose alla à la cuisine et commença à toucher à tous les placards. Elle les faisait claquer dans un concert contemporain très osé, quand Colette se montra enfin sur le seuil de la pièce.

— Je déteste que l'on me regarde dormir. Et je déteste encore plus que l'on mette ses doigts sales sur mes meubles. Je vais devoir tout relaver. Vous le savez pourtant. Alors qu'est-ce qui me vaut l'honneur de votre présence dans ma chambre depuis plus d'une heure ?

— Vous saviez que j'étais là ? Et vous faisiez semblant de dormir ? Mais c'est de la torture ! Pour moi ET pour vous !

— Vous auriez pu me préparer un thé au moins ! L'odeur m'aurait tirée du lit bien plus vite. Alors que se passe-t-il ? Vous vous êtes rabibochée avec votre fils ?

— Non, ce n'est pas aussi fantastique que cela. Non, j'ai une surprise pour vous !

— Oh là, minute, papillon ! Je n'aime pas les surprises et encore moins les vôtres, répliqua Colette en se servant une tasse bouillante. Je pensais vous l'avoir fait comprendre. Et si on disait tout simplement que cela ne me plaît pas et que l'on passait directement à notre cours de cuisine ? Aujourd'hui j'aimerais vous apprendre la choucroute.

— Ce n'est pas tout à fait de saison, mais avec plaisir : une fois que vous aurez fait honneur à ma surprise.

— Vous êtes « insistante » et, encore, je choisis mes mots !

— N'est-ce pas vous qui m'avez invitée à m'affirmer davantage ?

— Si, mais pas avec moi !

— Eh bien, venez, et vous me direz après si j'ai eu tort.

La diablesse se leva et partit s'enfermer dans la salle de bains. Pendant plus de vingt minutes, la torture de la douche continua pour Rose qui n'avait qu'une envie : passer à la vitesse et à l'étage supérieurs…

Quand, enfin, Colette fut prête, toute de blanc vêtue, Rose lui prit le bras et l'emmena au 6e et dernier étage du bâtiment. Elles longèrent la studette de Rose, dépassèrent l'escalier de l'immeuble, les anciennes toilettes des chambres de bonnes, et se dirigèrent vers la fenêtre-guillotine au fond du couloir.

— C'est là que nous avons besoin de votre souplesse de jeune fille, Colette. Je vais vous aider. Baissez la tête et passez une jambe après l'autre.

Colette s'apprêtait à obéir sagement quand elle s'arrêta net.

— Rose, vous vous souvenez bien que je n'ai aucune envie de me balader dans la rue ? Encore moins en passant par l'escalier de secours…

Rose sourit. Elle lui prit la main et lança :

— Oui, je me souviens de tout ce que vous m'avez dit. Que vous rêveriez de connaître la couleur du ciel, de respirer l'air pur des arbres… Fermez les yeux et faites-moi confiance, Colette. Je vous guide.

La vieille dame soupira, leva les yeux au ciel d'exaspération et finit par fermer les paupières. Rose la maintint très fermement près d'elle et, ensemble, elles enjambèrent la large ouverture. Elles firent quelques pas, puis Rose demanda à Colette d'ouvrir les yeux. Ce qu'elle fit.

Devant elle, un petit paradis. Des arbres, des fleurs, un banc en bois, une fontaine, des petites statues, des treillages avec des plantes grimpantes pour effacer le béton des murs. En somme, à la place du toit nu de l'immeuble, Laurent, le fleuriste-paysagiste, avait recréé un cocon de verdure de 50 m², juste pour Colette.

Cette dernière ne put s'empêcher de sourire. Elle fit quelques pas pour aller caresser les feuilles des arbres, puis se pencher au-dessus des roses odorantes.

— Ça, pour une surprise, c'est une sacrée surprise ! réussit-elle seulement à souffler. Je m'attendais à tout de votre part, mais pas à cela.

— Je tenais à me faire pardonner. J'ai exagéré en faisant venir chez vous de lointaines connaissances, surtout sans vous en avertir.

Colette lui sourit et poursuivit son exploration botanique :

— Et il y a même un coin potager ! Je vais avoir mes légumes à disposition sans devoir sortir de chez moi ! dit-elle, moqueuse, en souriant à Rose.

— Ce n'est pas du tout l'objectif, vous vous doutez bien Colette, au contraire ! Cela vous plaît-il ? osa Rose, à peu près certaine de la réponse.

— Oui, évidemment. Mais… avez-vous obtenu l'autorisation de ma fille pour cette petite merveille ?

Rose lui répondit d'un sourire crispé. Elle n'avait pas pensé à ce petit détail qui allait sûrement avoir une incidence sur son avenir auprès de Colette. Celle-ci lui prit la main et la fit asseoir à côté d'elle sur le banc.

— Nous ne sommes pas obligées de le lui dire. Ce sera notre secret. Si elle le découvre, que dis-je, quand elle va le découvrir, car elle sait toujours tout, je dirai que c'était mon idée. Elle ne pourra rien faire contre cela. Je suis chez moi, quand même !

— Merci, dit simplement Rose, consciente que Colette lui sauvait la mise. Vous voyez, je suis vos conseils et j'apprends à sortir du chemin que l'on trace pour moi.

— Mais à propos, comment avez-vous fait pour payer tout cela ? Je sais que ma fille est très généreuse pour son chien, mais je ne pense pas qu'elle vous ait donné une avance.

— Moi, je n'y suis pour rien, vraiment. C'est Laurent, vous savez, le jardinier qui est venu l'autre jour, c'est lui qui a tenu à tout vous offrir. Il voulait vous faire plaisir : je ne sais pas ce que vous lui avez fait, mais il semblerait que vous lui ayez tapé dans l'œil ! Il a même planté des œillets. Vos préférés… appuya Rose d'un clin d'œil. Il va se servir de sa réalisation « *roof top* », comme il dit, pour alimenter son *book* et se faire un nom auprès des Parisiens.

Colette ne pipait mot. Cela dépassait l'entendement que quelqu'un, qu'elle ne connaissait pas plus que cela, puisse lui faire un tel cadeau.

— Mais qu'est-ce que c'est que son « book » ? Cela a un rapport avec « Fassebook » ?

— Non, aucun, mais si vous le souhaitez, je peux vous montrer son site avec toutes ses réalisations. Vous verrez, il fait du très beau travail.

— Je le vois déjà ! Mais comment pourrais-je le remercier ? Et vous aussi, Rose ?

— Pour moi, j'ai déjà une idée. Pour Laurent, je peux lui demander, mais il me semble qu'il n'attend vraiment rien de votre part. Je pense qu'un morceau de votre fraisier maison le comblerait de bonheur. Si vous ne l'aviez pas remarqué, Laurent, c'est un gourmand ! Ce n'est pas Pépette qui avait récuré le plat du far breton, l'autre jour !

Colette sourit et glissa :

— Maintenant, il faut que l'on arrive à garder notre jardin secret. Avec Pépette et Véronique, cela ne va pas être de la tarte...

31

En vous remerciant !

C'est vrai que depuis quelques jours Pépette était grise. La poussière et la terre du jardin en construction avaient définitivement rendu le poil du Loulou de Poméranie nettement moins luisant. Il était donc largement temps de rendre visite à la toiletteuse de luxe, qui habitait à l'opposé de chez Véronique. Pourquoi faire simple quand on peut faire compliqué ? Surtout que, en montant dans la voiture en bas de la rue, Rose s'était rendu compte que leur immeuble jouxtait un salon pour chiens.

La « toutouletteuse », comme elle aimait s'appeler, demanda à Rose de bien vouloir patienter dans la salle d'attente pendant qu'elle opérait. Rose eut à cœur de vérifier auprès de Karine – c'était le vrai nom de la jeune femme aux cheveux à mèches vertes – qu'« opérer » ne signifiait pas que le cabot subirait un acte chirurgical. En jetant un œil à travers la salle du fond, Rose avait aperçu des chaînes qui pendaient du plafond et une table en inox. La shampouineuse canine lui rit au nez et, comme si elle s'adressait à un enfant de 4 ans, lui répondit : « Non, ici, c'est la magie qui opère ! Restez là s'il vous plaît et laissez-moi seule avec Pépette. »

Dans la salle d'attente, Rose faisait une allergie de compétition. Jusqu'à présent, elle avait survécu à Pépette en la tenant à distance, mais, au pays où les animaux à poil étaient rois, Rose enchaînait éternuement sur éternuement. Elle savait qu'elle n'aurait pas dû toucher les magazines spécialisés, vieux de plusieurs décennies, mais la folie des concours canins l'avait intriguée.

Rose sortit dans la rue réoxygéner ses poumons. Dans ce quartier populaire et multiethnique, elle croisa de nombreux touristes asiatiques, qui lui posèrent de simples questions en anglais, auxquelles elle se montra incapable de répondre. Même Colette était plus calée qu'elle en langues étrangères. Elle savait son niveau déplorable. Baptiste s'était souvent moqué d'elle, notamment de sa façon de chanter en yaourt, mais Rose était bien obligée de constater que les quelques week-ends à Londres qu'elle lui avait offerts avaient permis à son fils chéri de se détacher de cette lourde hérédité handicapante.

Rose avait tellement honte de son niveau que pendant très longtemps elle avait fait un rêve récurrent. Un cauchemar, plutôt. La Ddass passait à l'improviste chez elle et lui arrachait son fils. Puis on l'emmenait dans une grande salle d'examen silencieuse où elle se retrouvait seule parmi des milliers de pupitres : on lui promettait de lui rendre son enfant si elle réussissait le contrôle d'anglais. À chaque fois, Rose se réveillait en sueur, cherchant désespérément à se souvenir du prétérit des verbes irréguliers.

Elle aurait aimé pouvoir s'améliorer, voire demander de l'aide à Colette, mais on ne pouvait pas vraiment dire que, entre les quatre murs de leur immeuble, elles avaient besoin de la langue de Shakespeare. Si Rose n'avait pas encore grand-chose à enseigner à Colette, cela lui plaisait d'apprendre de la vieille dame. Colette se sentait utile et Rose avait l'impression de développer une relation proche de celle qu'elle aurait aimé avoir avec sa propre mère, si elle l'avait seulement connue.

Perdue dans ses pensées, Rose finit par retrouver le chemin du salon de toilettage. À son retour, elle fut accueillie par le regard noir de Karine.

— Mais qu'est-ce que vous avez fait à Pépette ? Je ne l'ai jamais vue dans cet état ! Des nœuds partout, un poil étouffé qui ne respire plus depuis des jours. J'y ai passé plus de trente minutes dans le bain juste pour que la couleur de l'eau redevienne limpide. À ce niveau-là, c'est de la négligence. Madame Lupin est absente en ce moment, non ?

Rose se prit cette réflexion comme une gifle.

Qu'insinuait donc cette petite effrontée à mèches vertes ? Que Rose négligeait Pépette ?

Dans ces moments-là, Rose cherchait à se rappeler pourquoi elle avait accepté ce travail. Dès le premier coup d'œil, elle ne l'avait pas sentie, cette fille. Même si elle devait la côtoyer toutes les semaines, il était certain que Rose ne s'en ferait pas une amie.

Dog-sitter contre *Toutouletteuse :* Pépette devrait choisir !

32

Ça sent le sapin !

Assise sur les marches du grand escalier de l'immeuble, Rose attendait que son fils décroche. Celui-ci se faisait désirer, mais elle ne s'avouerait pas vaincue. Elle allait raccrocher, faisant des allers-retours entre la porte entrouverte de Colette et le vestibule du palier, quand il répondit enfin. Son fils n'était peut-être plus fâché contre elle. Rose sourit, fit un signe positif à Colette qui l'observait, puis soudain son visage s'assombrit. Colette sortit dans le couloir et vint mettre son oreille de l'autre côté du téléphone. Elle put entendre aussi :

— *Alloooo ? Allooooooooo ?*

Pour Rose, c'était évident : quelque chose ne sonnait pas comme d'habitude… Ce n'était pas Baptiste au téléphone, mais une voix de femme, avec un accent précieux. Mais où diable Baptiste avait-il oublié son portable ?

— Allô ? répondit timidement Rose. Je souhaiterais parler avec Baptiste. Je suis sa mère. Est-il dans les parages ?

— Oui, ne quittez pas Madame, s'il vous plaît.

Semblant s'adresser à quelqu'un d'autre, l'interlocutrice reprit, dans un anglais parfait, une phrase que Rose ne comprit pas : « *Don't hang up the phone please, we'll take your reservation as soon as possible.* »

Elle fut aussitôt saisie d'un doute et regarda paniquée Colette, avant de reprendre maladroitement :

— Jessica ? Est-ce vous ?

Après un instant de flottement, une de ces hésitations qui paraissent durer des heures, la jeune femme reprit :

— Oui, Madame, restez en ligne, je vais chercher Baptiste.

Rose se dit que la jeune femme avait une voix douce, parfaite pour calmer un bébé et lui chanter une berceuse. Elle pensa aussi que Baptiste, sans doute, se sentait apaisé par elle, il y avait dans sa façon de parler, de détacher les syllabes, quelque chose de rassurant, qui mettait immédiatement en confiance. Elle se rendit compte qu'elle ne connaissait vraiment rien de sa belle-fille. Elle n'avait jamais rencontré Jessica, ni même échangé deux mots avec elle par téléphone. Elle l'avait seulement aperçue en photo sur le fond d'écran du téléphone de Baptiste – une belle rousse à la chevelure flamboyante –, mais elle n'avait jamais imaginé que cette gamine pût avoir des origines britanniques.

Elle s'était plutôt représenté une jeune fille des mauvais quartiers, qui avait suivi une formation professionnelle parce qu'en échec scolaire, et qui entraînait son fils sur une mauvaise pente, alors que celui-ci tentait de suivre sagement sa vocation de maître d'hôtel. Rose avait veillé au grain. NTM lui avait appris : « *Laisse pas traîner ton fils, si tu ne veux pas qu'il glisse.* »

La voix de Baptiste la ramena à la réalité.

— Allô ! ??

— Dis-moi, Baptiste, c'est Jessica que j'ai eue au téléphone ?

— Oui. Pourquoi ?

— Pour rien, je ne l'avais pas imaginée comme ça.

— Comment, « comme ça » ?

— Je n'ai rien dit de mal… Elle a l'air plutôt *bon chic bon genre…* Elle est anglaise ? Je n'ai pas saisi un mot de ce qu'elle disait avant de te passer le téléphone !

— Quand je te disais que tu te trompais sur elle. Mais il faut toujours que tu juges les gens avant de chercher à les connaître. Tu voulais peut-être papoter avec elle ? Ah non, c'est vrai, l'anglais et toi ça fait deux. Qu'est-ce que tu veux ?

Colette écarquilla les yeux, effarée du ton que ce petit morveux de 18 ans prenait avec sa mère. Rose, habituée, continua :

— Je voulais savoir comment tu allais.

— Je n'ai pas envie de parler de la pluie et du beau temps comme si de rien n'était. Tu sais ce que je veux. Ça ne m'intéresse pas de faire semblant. Et puis, là, on est au boulot, je n'ai pas le temps. La prochaine fois que tu m'appelles, c'est pour me dire qui est mon père. Sinon, ce ne sera pas utile. Salut.

Colette fut choquée de ce raccrochage sec. Elle se plaignait de sa fille, mais ce gamin insolent n'était pas mal dans son genre. Rose fit une tête de chien battu et entra dans le petit appartement pour préparer le déjeuner. Colette se reconnut en Rose, elle ressentit pour la première fois une réelle empathie à son égard.

33

Pas du matin

Colette proposa son bras à la jeune femme encore toute secouée. Comment son fils pouvait-il être aussi dur avec elle ?

— Venez, passons en cuisine, nous allons nous atteler à notre dorade. Cela va nous changer les idées.

Rose gardait sa mine déprimée. Elle ne savait plus quoi faire. Colette lui avait suggéré de ne plus se faire piétiner, et son fils continuait de lui parler sur un ton inacceptable, sans qu'elle sache lui répondre.

Colette donna le tablier à Rose et s'assit. Elle lui lançait les instructions, une à une :

— Le four, à 200 degrés. Vérifiez que le poisson ait bien été évidé. Le jus de citron à l'extérieur, et à l'intérieur aussi. N'oubliez pas d'huiler votre plat, sinon cela va accrocher. Moins chaud, le four, à présent.

Rose s'exécutait, mais le cœur n'y était pas. D'ailleurs, elle avait beau avoir suivi toutes les étapes de la recette à la lettre, à la dégustation, le poisson avait un goût d'échec. Rose avait raté la cuisson. « Ce sera mieux la prochaine fois », lui avait promis Colette. Mais Rose savait qu'il n'y aurait pas de prochaine dorade royale. Pour qui ?

Colette brisa la glace :

— Racontez-moi tout. Comment en êtes-vous arrivée là avec votre fils ? Pourquoi est-il aussi en colère ?

Rose soupira et se lança dans des explications qu'elle souhaitait le plus succinctes possible. Colette leur servait une tasse de thé, accompagnée de financiers à l'orange, faits maison.

— Bien sûr que Baptiste m'a souvent posé la question. Je ne lui ai tout simplement jamais dit la vérité. J'inventais. J'improvisais des réponses. Au fond, j'espérais que ça lui passerait, je pensais qu'il finirait par renoncer.

Colette reposa la théière et demanda, interloquée :

— Mais pourquoi lui avoir menti ? Vous avez eu un enfant avec un terroriste ? Un nazi ? Un extraterrestre ? Avec votre frère ? Dites-le-moi, promis, je ne jugerai pas.

— Pas du tout ! Enfin, Colette !

164

— Je ne sais pas ! De nos jours, on entend de ces choses…

Colette perçut le malaise. Rose avait les yeux embués. La vieille dame lui tendit la boîte de mouchoirs et ajouta, craignant le pire :

— Le père n'est pas au courant que vous avez un enfant de lui ?

Rose répondit par un regard coupable.

— Non. Il ne l'a jamais su et je crois que, maintenant que l'on a vécu tout cela sans lui, je ne vois pas l'intérêt de remuer le couteau dans la plaie et lui faire prendre conscience qu'il a tout loupé.

Colette resta songeuse. Les tasses de thé ne fumaient plus depuis longtemps. Rose lançait un regard désespéré à Colette. C'était la première fois qu'elle se confiait sur cette affaire. Même à Lili, elle n'avait jamais tout dit. Elle était paumée et était désormais prête à suivre les conseils de n'importe qui. Même ceux d'une toquée !

— Rose, on ne fait pas d'omelette sans casser d'œufs. Le coup de pied au derrière, c'est maintenant que je vous le mets. Faites votre *mea culpa* et donnez sans tarder à votre fils le vrai nom de son père.

— C'est impossible de le retrouver ! Ce nom est trop commun, j'ai été incapable de le localiser depuis des semaines. Il n'y a rien sur Internet. Et puis, depuis dix-huit ans, il a probablement

refait sa vie, peut-être qu'il a d'autres enfants...
Ce n'est pas bien de tout bousculer comme ça...

— Justement, vous trouvez ça bien d'empêcher votre fils de comprendre qui il est, de rencontrer son père et d'éventuels frères et sœurs ?
Voilà où votre rengaine « c'est trop tard » vous a
menée !

— Ne dites pas ça. Je me sens tellement coupable.

— Oui, mais vous, au fond, vous ne souhai-
tiez pas forcément le retrouver et vous avez laissé
la situation pourrir.

Ce n'est pas faux.

— Votre fils, lui, attend ce moment depuis si
longtemps qu'il déplacerait des montagnes. Il le
retrouvera. Comment s'appelle-t-il ?

— Pierre Chenais. Il était jeune médecin à
l'époque.

— Donc plus facile à retrouver !

— Il l'était, mais rien ne garantit qu'il le soit
toujours aujourd'hui...

— Vous connaissez beaucoup d'abrutis qui
ont fait 15 ans d'études pour devenir médecin et
ont décidé brusquement de devenir garagiste ?
Bon, arrêtez de prendre cet air malheureux et
envoyez un SMS à votre fils. MAINTENANT.

Mais c'est une sacrée dure à cuire, celle-là !
Laissez-moi faire l'autruche et croire que cette his-
toire n'a pas besoin d'être exhumée !

166

Rose déglutit, tapa fébrilement sur le clavier les informations qu'elle avait jusqu'alors gardées précieusement pour elle et, une fois le message envoyé, courut jusqu'aux toilettes.

Elle avait son compte d'émotions aujourd'hui : la voix de sa belle-fille et son anglais parfait, son fils toujours fâché contre elle, et le nom de son premier amour maintenant dévoilé. Des journées comme ça, elle n'en souhaitait à personne. Jupiter aurait pu l'avertir, quand même !

De la cuisine lui parvint la petite voix éraillée de Colette :

— Et demain, on commence les cours de remise à niveau en anglais ! *Isn't it, my dear !*

34

Tu m'en diras tant !

Le message que Baptiste avait reçu de sa mère l'avait vraiment secoué. Dix-huit ans d'attente et, enfin, il connaissait le nom de son père. Pierre Chenais. Il se le répétait en chuchotant. C'était comme la solution à une énigme, le mot de passe pour accéder à un nouveau monde, celui où il pourrait effacer la mention « de père inconnu ». Cela lui importait peu qu'il n'ait pas d'adresse précise pour le contacter. Il avait ces treize lettres au bout des doigts et une envie brûlante de taper « Pierre Chenais » sur son mobile pour parcourir Google et Facebook à la recherche d'un visage à associer à ce nom.

Cependant, pour la toute première fois, Baptiste prit conscience des conséquences que pourrait avoir cette découverte. Lui qui avait espéré ce moment depuis tant d'années, qui avait presque sacrifié sa relation avec sa mère pour cela, comprit que, désormais, rien ne serait plus comme avant. Baptiste, d'ordinaire assez fonceur, se retint. Une photographie de famille heureuse le dévasterait de jalousie.

Il n'en informa pas Jessica, qui faisait une sieste à ses côtés. Il décida que ce moment lui appartenait, à lui seul. La paranoïa du jeune homme refit surface. Avec toutes les déceptions des années passées, les mensonges de Rose et les troubles que cela lui avait causés, il craignait d'être de nouveau déçu. Et si les informations de sa mère étaient erronées ? Si Rose avait inventé ce patronyme juste par stratégie, pour se rapprocher de lui avant la naissance du bébé ?

Pire encore, si ce Pierre était réellement son père, mais qu'il le rejetait ? Baptiste s'était fait de multiples scénarios de cette première rencontre, qu'il avait toujours imaginée comme le retour du fils providentiel. Le jeune homme était bouleversé. Il ne supporterait pas d'être repoussé.

La nuit suivante, Baptiste n'en avait pas fermé l'œil.

35

Le coach de surf

Colette était plongée dans son journal. Elle avait passé la matinée à rassembler ses vieux livres d'anglais pour enseigner la langue de Shakespeare à Rose. Il était devenu capital de remotiver la *mamy-sitter,* qui déprimait depuis qu'elle avait compris qu'un fossé culturel pouvait s'ériger entre elle et la belle-famille de son fils. Rose n'arrivait pas à l'admettre, mais elle avait compris aussi que son fils avait probablement honte d'elle.

La jeune femme s'était mise à se regarder autrement. Dans le reflet du miroir, elle scrutait avec dégoût les vêtements bon marché et mal coupés qu'elle portait ce jour-là, ses quelques cheveux blancs, qu'elle ne teignait pas, les peluches sur son gilet, les semelles usées de ses chaussures. Elle pensait à son manque d'ambition et de culture générale, elle se mit à douter même de sa façon de se tenir. Elle finit par soupirer en se touchant le visage, qu'elle trouva froissé, tout comme sa vie.

Colette n'était pas convaincue que la méthode pédagogique théorique soit la plus efficace avec la jeune femme. Il lui fallait de la pratique, mais, enfermées entre Françaises, entre quatre murs, la solution n'était pas d'une évidence folle. Surtout qu'il était toujours hors de question pour Colette de mettre un pied dehors !

La vieille dame cherchait l'inspiration quand les dernières pages du quotidien lui redonnèrent le sourire. Il était question de ces nouvelles tendances de solidarité nées à l'heure d'Internet : des échanges de maisons aux quatre coins du monde et le boom d'Airbnb. Colette, même si elle ne pouvait pas grand-chose pour Rose en restant cloîtrée dans son appartement, décida que, puisqu'elle n'irait pas vers le monde extérieur, c'est le monde extérieur qui viendrait à elle.

Affairée à la préparation d'une potée, Rose s'arrêta net dans l'épluchage des pommes de terre et ferma les yeux pour mieux se concentrer sur l'idée farfelue que venait de lui soumettre une Colette toujours aussi inventive.

— Mais pourquoi aurais-je besoin d'un prof de surf ? Je ne vois pas le rapport avec les cours d'anglais ?

Perplexe, Rose en laissa tomber une pelure, que Pépette engloutit avant de grimacer, se rendant compte qu'il ne s'agissait pas d'un bout de saucisse, dont l'odeur embaumait pourtant toute la cuisine.

— Mais non ! Je ne vous parle pas d'un coach de surf, mais de « *couchsurfing* ». Tout le monde en a parlé il y a quelques mois et, ce matin encore, il y avait un article dans le journal que vous m'avez apporté. Regardez !

Rose se pencha au-dessus de la page, mais n'avait pas envie de lire le sujet complet.

— Cela a un rapport avec les chauffeurs de taxi ?

— Mais non ! Ce sont des gens qui viennent dormir sur votre canapé gratuitement.

— Ils écrivent ça comment, demanda la jeune femme en parcourant des yeux l'article. « *Couche sur fingue* » ?

Elle l'avait articulé avec l'accent britannique le plus raté au monde : la patate chaude dans la bouche avait des airs martiniquais. Elle reprit :

— Je ne le prononce sûrement pas comme il faut, je n'ai pas votre accent anglais, *Lady Colette*. Mais je ne comprends pas pourquoi quelqu'un ferait ça ?

— Qui ? Celui qui accepte de dormir chez un inconnu ou celui qui prête son sofa à un inconnu ?

172

— Les deux ! Ça me dépasse !

— Eh bien, remettez-vous, Rose, parce qu'on va le faire ensemble. Comme ça, ma chère, vous pourrez pratiquer votre anglais.

— Je crois que j'aurais préféré le coach de surf, en fin de compte… reprit Rose, moqueuse, en ébouillantant ses tubercules.

Le ventre plein, les lunettes sur le nez, Colette fixait l'écran d'ordinateur de Rose. Les deux comparses découvraient avec stupéfaction tout un monde qui s'ouvrait à elles. Des milliers et des milliers de personnes aux quatre coins du globe pratiquaient cette étrange activité hôtelière, qui, dans le monde si peu solidaire d'aujourd'hui, surprenait grandement Rose.

— Mais comment tous ces gens sont-ils sûrs de tomber sur une personne bienveillante et pas un détraqué sexuel ? Vous avez vu les choses horribles qui se passent dehors ? Les gens sont fous ! Et vous, Colette, vous êtes prête à inviter un inconnu chez vous ? Ça m'étonne de votre part !

— Eh bien oui, répondit Colette. Ce que l'article explique très bien, c'est que, premièrement, chaque hôte et chaque invité ont un profil avec les évaluations de leurs expériences précédentes. Donc, quand ça se passe mal, ça se sait. Tout est noté précisément. Ensuite, un nouvel hôte, comme nous, doit être parrainé. Tout le monde ne peut pas offrir son canapé. Il y a des règles très strictes, c'est rassurant.

— Mais qui peut nous parrainer, alors ?

— Laurent, le paysagiste. Quand je l'ai appelé l'autre jour pour le remercier de notre merveilleux jardin sur le toit, il m'avait dit que ce genre de réalisations, qu'il a aussi chez lui, faisaient fureur auprès des touristes qui faisaient étape sur son divan. Je l'avais trouvé bien libertin. Je l'ai rappelé il y a quelques minutes, pour savoir si c'était bien le *couchsurfing* qu'il pratiquait. Il est dithyrambique sur cette activité. Il n'avait fait que des rencontres extraordinaires et il a accepté tout de suite de nous parrainer !

— Oui, mais si tout le monde fait pareil… renchérit Rose, assez tête de mule sur cette affaire.

Sans prêter la moindre attention au bonnet d'âne qui cherchait toutes les excuses du monde pour ne pas se remettre à la pratique de l'anglais, Colette reprit :

— Enfin, bref, c'est nous qui sélectionnons l'hôte que l'on souhaite accueillir : bien évidemment, nous ne choisirons que parmi des femmes.

— Pourquoi pas ! C'est vrai que l'on aurait beaucoup à offrir : un toit dans Paris, un bon repas typiquement français… Vous êtes vraiment une originale, Colette. Je n'aurais jamais cru ça de vous. Et où dormirait cette personne ?

— Dans votre studio, bien sûr. Des dizaines de femmes vont s'arracher notre canapé ! Où ai-je rangé ma mappemonde ? Ce soir, on choisit notre destination…

36

C'est le jeu, ma pauvre Lucette

Dans sa salle de bains, alors qu'elle laissait l'eau couler depuis de longues minutes, Colette, s'observant dans le miroir, ressassait le fil des dernières discussions. Elle ne comprenait pas comment elle avait réussi à se convaincre d'accueillir une étrangère chez elle, juste pour le bien de Rose. À transformer son appartement en auberge de fortune et, elle, en hôtesse modèle ? Elle allait devoir laisser une inconnue entrer dans sa demeure, toucher à tout, pendant vingt-quatre heures ! Quelle mouche avait bien pu la piquer ?

Rose était rafraîchissante, mais de là à s'imposer des situations de stress, juste pour l'aider, il y avait un monde. Pourquoi faisait-elle tout cela pour la jeune femme ? La vieille dame reconnaissait que ses TOC n'étaient pas simples à gérer, mais, en réalité, ce n'était pas son problème principal. Ses maniaqueries, elle en avait l'habitude et cohabitait pacifiquement avec elles depuis assez longtemps pour savoir prendre le dessus, de temps en temps.

Maintenant, c'était autre chose qui l'inquiétait. Depuis quelque temps, elle perdait l'équilibre. Elle était même tombée récemment à deux reprises. Heureusement, à chaque fois, Rose était ailleurs. La seconde fois, Colette se trouvait dans la salle de bains, enfermée. Seule à l'intérieur, elle avait mis une dizaine de minutes pour se relever. Dans sa chute, elle avait heurté le lavabo et, depuis, avait encore très mal. Colette soupçonnait s'être blessée sur le flanc. À quoi bon le dire à Rose ? Il n'y avait rien à faire contre une côte fêlée.

Ce qui l'avait particulièrement chagrinée était le mensonge qu'elle avait dû inventer pour se justifier. La situation avait basculé le jour où les commerçants du quartier étaient venus déjeuner chez elle à l'improviste. Colette s'était juste absentée pour aller aux toilettes et avait dû inventer toute une histoire de douche à une Rose furieuse d'avoir été abandonnée avec ses quatre invités. Et eux, qu'avaient-ils pensé d'elle ? Qu'elle les snobait ? Qu'elle était devenue folle ? Les rares personnes qui se souvenaient encore d'elle et l'appréciaient sincèrement.

Colette doutait que ses numéros de passe-passe tiennent bien longtemps. Rose n'était pas dupe.

Il fallait seulement qu'elle tienne bon. Physiquement. Elle n'avait plus grande utilité, vivant recluse dans l'obscurité de son petit appartement, mais Rose avait besoin d'elle, de quelqu'un pour la remettre sur les rails, pour la secouer comme personne ne l'avait fait auparavant. Colette comprit que les choses s'étaient inversées d'une manière plus qu'inattendue. Contrairement aux apparences, c'était à elle d'aider Rose. Une bonne fée pour une Cendrillon des temps modernes !

37

Madame Prout-Prout

La fille Lupin était de retour. Elle fulminait. Périmètre de sécurité oblige, il ne fallait surtout pas l'approcher. De toute évidence, son voyage avec Richard ne s'était pas passé aussi bien que prévu. Cela semblait être une habitude ! Même Pépette ne trouvait pas grâce à ses yeux. Dès que la chienne l'approchait pour fêter son retour, elle se faisait houspiller.

La cinquantenaire était d'une humeur de chien. Il fallait que Rose fasse profil bas. Colette, elle, était restée dans son appartement, loin de la fureur de sa fille, qui claquait porte après porte.

Sur la pointe des pieds, Rose saisit le Loulou et s'éclipsa en dehors de l'appartement. Ce n'était pas le moment de se mettre sur le chemin de la tornade. Véronique avait invité des amis dans l'après-midi afin d'organiser leur manifestation contre le centre d'hébergement pour sans-abri, projet qui avait bien avancé en une semaine, et Rose ne voulait surtout pas contribuer à son ralentissement.

Alors qu'elle descendait silencieusement les escaliers de l'immeuble avec la chienne sous le bras, la voix stridente de Véronique retentit au-dessus d'elle :

— Hep ! Houhou ! Arrêtez. Remontez ! Tout de suite.

Rose, prise d'un doute, s'immobilisa sur une marche.

— Oui, vous, là ! Venez.

Plus aucune incertitude possible. Véronique appelait l'une des deux : soit sa chienne, soit sa *dog-sitter*. Étant donné le ton employé, Rose considéra que l'injonction était très probablement destinée au chien et dévala les dernières marches. C'était une question de principe. Même Pépette, par sa moue boudeuse, semblait confirmer que personne ne s'était jamais adressé à elle comme cela auparavant.

Rose allait donner une dernière chance à sa patronne, qui lui faisait presque de la peine à s'égosiller ainsi, quand elle entendit hurler derrière elle :

— Mais c'est insensé, ce manque d'éducation ! Je vous ordonne de vous arrêter. Blanche, je vous parle !

Rose claqua la porte cochère derrière elle et s'engouffra dans la frénésie des rues parisiennes, en direction du café. Au moins, là-bas, on se souvenait de son prénom.

38

Pâtisserie de rêve

Rose se cachait derrière le journal qu'elle avait déployé devant elle. Elle riait de voir sa patronne arpenter la rue à sa recherche, les cheveux hirsutes et dans une tenue habituellement réservée à ses nuits.

Les deux pattes appuyées contre la vitre, Pépette remuait la queue à chaque passage de sa maîtresse. Pour gagner quelques minutes de tranquillité, Rose soudoya le Loulou avec un bout de pain au chocolat, que le chien engloutit en une seconde. Il était loin, le régime foie gras et caviar !

Quand, par hasard, Véronique entra dans le café pour commander un jus de goyave glacé, elle fut soulagée de croiser le regard de Rose et s'affala sur la chaise en face d'elle.

— Enfin ! Mais qu'est-ce qui vous a pris ? tempêta Véronique.

Rose enleva ses écouteurs et fit mine de ne pas comprendre. Véronique joua le jeu et continua :

— Mais qu'est-ce que vous avez aujourd'hui ? Vous avez l'air d'être de mauvaise humeur. Il faut y mettre du vôtre, là.

C'est l'hôpital qui se moque de la charité !

— Tant que nous y sommes, j'ai besoin de vous pour m'accompagner à la pâtisserie.

Rose lui lança un regard interrogateur. Depuis quand accompagner Véronique Lupin faisait-il partie de ses attributions ? Et depuis quand celle-ci mangeait-elle des gâteaux ? Elle était constamment à la diète ! Rose ne se souvenait pas de l'avoir vue avaler quoi que ce soit à part de l'air !

— Voilà, j'ai quelques amies au régime qui passent cet après-midi et j'aimerais arriver à les faire craquer… J'ai pris 700 grammes cette semaine et je ne veux pas être la seule à me sentir énorme au cours de yoga lundi prochain.

Très sain, comme mentalité !

Rose régla les consommations à Edgar, qui la remercia d'un clin d'œil plein d'encouragements. Seule Pépette semblait ravie de déambuler entre ses deux maîtresses.

Véronique entra dans la boulangerie telle une actrice de théâtre sur scène. Certainement éblouie par les projecteurs, elle dépassa tout le monde dans la file et s'inséra juste derrière la cliente qui venait de payer. Elle avait doublé les autres clients avec un naturel si déconcertant que personne ne protesta.

Étincelante de beauté (ou de Botox ?).

Isabelle, qui finissait de servir la cliente précédente, ne remarqua pas tout de suite la présence de Véronique – précisément ce que la Lupin détestait le plus au monde.

Véronique bouillonnait. Attendre lui était insupportable.

Ses cours de yoga n'ont pas l'air très efficaces !

À bout de nerfs et en hypoglycémie, à cause du jeûne qu'elle s'imposait pour perdre un boyau alors qu'elle était indéniablement victime d'une boulimie de tartes, Véronique se tourna vers la cliente derrière elle, d'ailleurs l'une de celles qu'elle avait doublées en arrivant, et lâcha :

— Leurs gâteaux sont délicieux, mais qu'est-ce qu'ils sont lents !

Tout le monde se tut. Rose avait rarement été aussi gênée. Isabelle l'avait reconnue. Comment Véronique osait-elle dire tout haut des choses pareilles ?

Tous les regards se braquèrent sur elle, et Véronique prit cela pour une invitation à passer commande, satisfaite.

— Enfin ! Alors, mettez-moi une tarte au citron meringuée pour quatre personnes, et sans me rajouter tous vos bouts de plastique en décoration. Et pour patienter, donnez-moi un de vos petits choux à la crème.

Rose, toujours outrée par le sans-gêne de sa patronne, était ravie de la voir céder à une bombe sucrée, alors qu'elle tendait un piège diététiquement diabolique à ses prétendues amies. Le vendeur leur présenta un petit carton au centre duquel trônait le chou.

Rose en salivait : elle l'aurait bien croqué entier, mais il ne fallait pas compter sur Véronique pour lui en proposer la moindre miette. Elles n'avaient pas élevé les cochons ensemble… comme lui aurait certainement rappelé la fille Lupin. Cette dernière saisit le bout de carton et offrit le chou à… Pépette. Le Loulou n'en fit qu'une bouchée. Laissant tout le monde bouche bée.

Une fois servie, la patronne renversa le contenu sonore de son porte-monnaie et abandonna nonchalamment de quoi régler uniquement sa tarte au citron. Point. Le chou, elle se l'offrait à elle-même, sans doute en dédommagement de l'attente *interminable* dont, selon elle, elle avait été victime. Puis elle tourna les talons, suivie par son fier Loulou et une *dog-sitter* honteuse qui fit un signe amical discret à Isabelle avant de quitter la pâtisserie. Les gourmands de la boutique restèrent figés, se demandant sans doute si la tarte meringuée était destinée au poisson rouge de Madame...

39

Tu me cours sur le haricot !

Jamais content. Voilà comment Rose aurait résumé son fils. Après plus de dix-huit ans à prendre soin de lui, à lui donner le meilleur, le voilà qui en demandait toujours plus. Après avoir sommé sa mère de lui communiquer le nom de son père, Baptiste venait de lui envoyer un texto tout aussi laconique que le premier : « Je n'arrive pas à le retrouver. J'espère que tu ne m'as pas encore menti ! »

Qu'était-elle censée faire ? Longeant le parc des Batignolles avec Pépette sur ses traces, pour tenter d'oublier la honte phénoménale que Véronique Lupin venait de lui infliger devant Isabelle, Rose décida d'appeler sa sœur Lili. Elle avait besoin de réconfort et de conseils pour arranger les choses avec Baptiste.

Rose sentait que la moindre erreur lui coûterait le prix fort, que son fils pourrait se braquer à nouveau et que cela réduirait tous ses efforts à néant. Chaque fois qu'elle devait s'adresser à lui ou répondre à ses messages, Rose avait l'impression de manipuler de la nitroglycérine.

Comme d'habitude avec l'avocate, il fallait insister un peu avant qu'elle ne décroche son téléphone. Quand, au bout de trois appels, la sœur de Rose répondit enfin, sa voix était pâteuse :

— Mouais ?

— Mais je te réveille ou quoi ? demanda Rose, en regardant sa montre qui indiquait pourtant 11 h 30.

— Oui, je fais un petit somme. Mais cette fois je ne risque pas de me faire griller par mes collègues : j'ai fermé mon bureau à double tour.

— Ne me dis pas que tu continues ton truc débile de te lever tous les jours, à 5 heures du mat', comme les Américains ?

— Non, ça, j'ai arrêté : j'ai suivi tes conseils.

— Pour une fois, fit Rose moqueuse.

Au bout du téléphone retentit un bâillement sonore vraiment très profond. Rose reprit :

— Bah, alors, pourquoi tu es claquée à ce point ?

— J'ai décidé d'être *vegan* : je n'en peux plus de voir toute cette cruauté faite aux animaux, tout ça pour un bout de viande ou un beau manteau. Depuis, je ne sais pas pourquoi, je suis épuisée *tout le temps*…

Rose allait lui répondre quand elle fut saisie subitement par une peur irrationnelle. Comme quand Baptiste tardait à rentrer le soir, elle venait de sentir son cœur se serrer et, cette fois, c'était à propos de Colette. Rose se mit alors à marcher à un train d'enfer autour du parc. Pépette courait à en perdre haleine : elle laissait échapper un râle d'asthmatique, mais continuait tant bien que mal de coller au train de sa *dog-sitter*.

Rose avait laissé la vieille dame depuis plus d'une heure pour faire les courses de la matinée, et elle venait d'avoir un mauvais pressentiment. Elle le savait : elle ne devait pas s'absenter trop longtemps. Ce n'était pas raisonnable.

— Bon, Lili, ce n'est pas que ta nouvelle lubie ne me passionne pas, mais je dois faire vite. J'ai besoin que tu me répondes. Je t'ai envoyé un texto il y a des heures et je ne sais toujours pas à quoi m'en tenir : on se voit demain pour notre apéro ou tu as décidé d'arrêter de boire aussi ?

— Tu ne manques pas d'air ! C'est toi qui m'as abandonnée vendredi dernier pour passer ta soirée avec la vieille dingue. Si tu t'es découvert une passion tardive pour les femmes d'âge mûr, pourquoi pas, après tout ? Tant qu'il y a de l'amour…

— Très drôle ! Morte de rire. Remange de la viande : tu deviens lourde, là !

— Ma reconversion au véganisme n'est pas une « lubie », je prends ça très au sérieux, figure-toi ! C'est une philosophie trop méconnue, elle est fondée sur la compassion envers les êtres vivants et, en premier lieu, les animaux. Une nounou pour toutou comme toi devrait le savoir…

Bip… bip… bip… Comme celle de Véronique, la patience de Rose avait ses limites.

40

Qui ne tente rien n'a rien

Rose avait gravi les escaliers quatre à quatre. Elle pénétra en trombe dans l'appartement de Colette. Elle ne la trouva pas dans la cuisine ni dans aucune autre pièce. Emportée par l'inquiétude, elle dévala les marches et surgit sans prévenir en plein milieu du salon, trouvant une Véronique endormie sur son canapé blanc. Malgré l'entrée en fanfare de Rose, elle ne bougea pas d'un iota. Elle était dans le gaz. Elle avait de toute évidence gobé plus de pilules que nécessaire à son régime cryogénique. Elle ne percuta pas non plus quand Rose fouilla chaque recoin de son luxueux appartement, avant de filer à nouveau vers les étages supérieurs.

Devant la porte de sa studette, Rose mit de longues minutes avant d'insérer la bonne clé :

mais, une fois à l'intérieur, toujours pas de Colette en vue.

Rose ne savait plus où chercher : jamais la vieille dame ne serait sortie seule. À moins que…

La jeune femme enjamba la fenêtre au bout du corridor et, arrivée dans le jardin sur les toits, trouva Colette tranquillement assise. Sur ses genoux, l'ordinateur.

Appuyée contre le mur, à bout de souffle, Rose tentait en vain de reprendre contenance. Pépette s'était affalée de tout son flanc sur le paillasson devant chez elle : elle n'avait pas pu faire un mètre de plus.

Pour la première fois, Rose remarqua le message original sur le tapis : « Itinéraire recommandé », avec deux flèches qui auraient dû inviter à entrer. Cependant, Colette s'était donné le mal de le tourner dans le sens inverse, recommandant plutôt aux visiteurs potentiels de repartir. Note pour elle-même : Rose le déplacerait, de manière à se montrer plus accueillante lors de l'expérience prochaine de *couchsurfing*.

Devant le regard interrogateur de Colette, Rose fit signe que tout allait bien, mais les joues écarlates de la jeune femme pliée en deux à cause d'un point de côté disaient le contraire. Elle s'était fait peur toute seule et n'avait aucune raison de partager ses angoisses avec son acolyte.

Sinon, c'est elle qui allait finir par avoir l'air complètement allumée.

Colette, ignorant superbement l'entrée théâtrale de la *dog-sitter*, remonta tranquillement ses lunettes sur son nez et se remit à taper sur le clavier.

Rose reprit enfin son souffle et attaqua un tout autre sujet :

— Tiens, vous avez le même ordinateur que moi !

— Non, c'est le vôtre. Je me suis permis de le nettoyer, il était horriblement sale. J'y ai passé un temps fou.

— Euh, minute. Je l'avais laissé sur ma table de nuit, à l'étage…

— Oui, c'est exactement là que je l'ai trouvé ! Je vous remercie, d'ailleurs, de m'avoir facilité la tâche. Je déteste chercher pendant des heures, surtout quelque chose que je n'ai pas perdu !

— Mais, je peux savoir…

— Comment je suis entrée ? Avec le double des clés caché sur le palier. Eh oui, j'avais une urgence.

— Ah ! Je savais bien que quelque chose n'allait pas. Vos crises d'angoisse ont repris ?

— Minute, papillon ! De quoi parlez-vous ? Je me porte à merveille. J'avais juste besoin d'une connexion. Et d'un peu d'air pur. Pour votre information, j'ai retrouvé Pierre, votre premier amour !

— *Whaaaat ?* demanda dans un anglais d'occasion une Rose déboulonnée.

— Vous êtes devenue bilingue ? Bravo !

— Mais comment vous avez réussi ! ?

— Je ne suis pas encore bonne à jeter ! Et pour votre information, Pierre est toujours médecin. Disons que ça sert d'avoir une patience à toute épreuve et un carnet d'adresses des spécialistes de France, qui ferait pâlir Michel Drucker ! Tenez, prenez les coordonnées de Pierre et envoyez tout de suite un message à votre fils, sinon je le fais moi-même, je vous préviens !

— Et comment ? Vous n'avez pas son numéro.

— Ah oui, et vous pensez aussi que je n'ai pas celui de votre sœur ? J'ai même celui de votre astrologue ! J'espère que vous ne le voyez plus, celui-là ! En regardant ses prévisions de l'année dernière, vous auriez pu le dénoncer ! Quel charlatan ! Il a eu faux sur toute la ligne !

— Mais comment est-ce possible ? Où vous avez trouvé tout ça ? J'ai toujours mon portable dans ma poche !

Rose réfléchit un instant. Colette souriait, à la manière de Mona Lisa.

— Le premier jour ? Vous aviez cherché dans mes contacts ?

— Bravo, Columbo ! Je préfère toujours être prudente quand ma fille décide de me confier à la première toquée venue ! Ah, au fait, vous avez rendez-vous avec Pierre samedi. Vous voulez que je vous donne son 07 ?

— Colette, on dit 06 !

— Ah bon, même quand il ne commence pas par 06 ? J'aimais bien 07, cela donnait des petits airs de James Bond…

41

Si on te demande,
tu diras que tu ne sais pas !

Finalement, le vendredi soir était enfin arrivé et ce rituel cocooning dans cette semaine de fous était le bienvenu. Quand elle ouvrit la porte de son appartement, Lili était grise. Les premiers jours du régime *vegan* se lisaient sur son visage : yeux fatigués, joues creusées et teint blafard. Instinctivement, Rose jeta un œil aux amuse-bouches que sa sœur avait préparés pour leur traditionnel buffet du vendredi : rien que du neuf et du bizarre ! Rose enchaînait les découvertes ces temps-ci et elle devait avouer que cela ne lui déplaisait pas : elle avait besoin de pimenter sa vie. Et pas que sur le plan culinaire.

Si les dernières lubies de Lili l'avaient fait plus rire qu'autre chose, elle était ravie que sa sœur se mette cette fois-ci au service d'une bonne cause – celle des animaux. Depuis toute petite, elle avait choisi d'être avocate pour rendre le monde plus juste et venir en aide aux cas les plus désespérés. Un rêve de gamine, comme d'autres auraient choisi pompier ou vétérinaire, mais se seraient détournés à la première difficulté. Pas Lili.

Pourtant, au début de sa carrière, elle y avait laissé quelques plumes : affaires qu'elle ne choisissait pas (et dont elle savait que le présumé innocent était assurément coupable); collègues machistes qui la cantonnaient à raccompagner les clients et lui tapotaient la tête pour la féliciter quand elle avait bien travaillé ; ou encore quelques patrons qui lui promettaient monts et merveilles, à condition que grimper les échelons du cabinet soit synonyme de ramper sous le bureau.

Lili avait essayé pendant des années d'entrer dans le moule, période durant laquelle Rose avait espéré que sa sœur retrouve ses convictions et lâche tout pour aller défendre des causes perdues comme elle en avait toujours rêvé. Mais non, la jeune avocate tenait à démontrer qu'elle était capable, autant que ces messieurs, et qu'elle aussi, un jour, serait une grande pénaliste reconnue pour son talent et respectée pour son parcours.

En attendant ce jour glorieux, Lili s'était privée de sommeil, de petits copains, d'enfants, et désormais de viande. Pas envie ou pas le temps, elle n'était pas claire à ce sujet, mais Rose sentait que derrière la façade des apéros enjoués, des soirées entre filles, des commérages autour des relations difficiles qu'entretenaient Rose et Baptiste, Lili aurait eu envie, elle aussi, d'avoir une raison de s'inquiéter, qui, pour une fois, ne soit pas professionnelle.

Honorant le buffet végétarien, Rose attaqua dans le vif :

— Bon, qu'est-ce que je dois faire avec Baptiste et Pierre ?

— *Tu* résous tes problèmes !

— Hein ? Mais tu as tes ragnagnas ou quoi ? Sois sympa : j'ai besoin de tes conseils.

Devant la moue boudeuse de Rose, Lili continua :

— OK. Si on résume la situation : Baptiste a rencontré son père et cela ne s'est pas passé comme il l'avait prévu. Ton fils m'a appelée : il est totalement perdu. Je comprends qu'il t'en veuille. C'est à toi de l'aider. Et personne ne peut résoudre tes problèmes à ta place ! Tu ne m'as jamais écoutée. Je t'ai poussée à dire la vérité à Pierre à l'époque. Tu as fait ta fière, tu as été égoïste, et voilà où ça te conduit aujourd'hui.

— Sympa, le soutien, sœurette !

Les deux sœurs se replongèrent dans leurs cocktails respectifs, en silence. Lili avait jeté un froid. Rose dut abdiquer :

— Oui, c'est vrai que, à l'époque, je n'ai pas suivi ton conseil à propos de Pierre, mais je croyais bien faire. Je pense qu'il n'est jamais trop tard pour réparer ses erreurs !

— C'est bizarre, tu as toujours dit le contraire.

— Oui, mais les choses changent.

— Alors tu dois parler à Pierre.

— J'ai l'impression que personne ne me comprend ! Je te rappelle qu'il m'a annoncé qu'il partait avec une ONG en Afrique pour une mission de trois ans, quelques jours après, je découvre que j'attends son enfant. Je ne pouvais pas vous abandonner, Papa et toi. Et je ne pouvais pas non plus lui demander de tout laisser tomber pour moi. Alors, excuse-moi, mais je n'appelle pas ça de l'égoïsme. Ce qui aurait été égoïste, c'était de le forcer à abandonner son rêve, l'emprisonner, en le mettant face à des responsabilités dont il ne voulait pas.

— Et tu ne t'es jamais dit que, peut-être, il aurait adoré être mis au courant ? Avoir un enfant, c'était quand même une bonne raison de rester ? Tu ne t'es jamais dit que vous auriez pu être heureux tous les trois, depuis plus de dix-huit ans ? Que peut-être Baptiste aurait pu avoir un père ? Que Pierre aurait quand même trouvé

199

un moyen d'être présent ? Tu parles d'un cadeau que tu leur as réservé à tous les deux ! Tu as pris une décision pour te protéger, toi, parce que peut-être tu n'aurais pas supporté d'être rejetée. Si tu veux vraiment mon avis, c'est à toi de régler cette affaire avec Pierre. C'est la moindre des choses que tu pourrais faire pour faciliter la vie de Baptiste !

— Et toi, tu ne manques pas d'air ! reprit la jeune femme, avec une repartie proche de zéro.

Rose voulut finir son verre pour se redonner une contenance, mais il était vide. Comme son cœur, ou son niveau de confiance en elle. Elle se resservit une boisson plus corsée et enchaîna :

— J'ai besoin de toi. Tu sais que j'ai toujours pensé au bien de chacun, et souvent avant le mien ! Alors me traiter d'égoïste, non ! Surtout venant d'une femme seule qui a toujours fait les choses en fonction d'elle ! Qu'est-ce que tu y connais, en altruisme ? Tu as déjà pris soin de quelqu'un d'autre que toi ?

Lili avala de travers la fin de son cocktail carotte-gingembre, puis partit dans la cuisine de longues minutes. Rose était préoccupée : elle y était allée un peu fort. Quand Lili revint, elle apportait un mini-moelleux au chocolat avec deux cuillères. Elle reprit d'un ton plus calme :

— Sérieusement, tu attends quoi de ma part, Rose ? Que j'organise des réconciliations avec ton fils ? Déjà fait. Tu veux que j'aille parler à Pierre, à ta place ? Tu étais bien plus entreprenante et sûre de toi à 10 ans, quand Maman est partie et que tu t'es occupée de Papa et de moi. Depuis la mort de Papa, je ne te reconnais plus : tu doutes tout le temps. Tu me demandes conseil. Avant, c'était le contraire ! C'était moi qui venais à toi, tu avais toujours la tête sur les épaules. Reprends-toi, Rose.

La jeune femme ne dit plus rien. Elle resta quelques instants les yeux dans le vide. Devait-elle avouer que, depuis le décès de son père, elle avait l'impression de n'être utile à personne ? Baptiste avait mis les voiles, Lili était devenue plus forte, comme si le chagrin l'avait à peine effleurée. Alors que Rose, elle, sombrait, doutait constamment, ne savait plus prendre la moindre décision. Quel était son rôle maintenant ? Elle s'était perdue en chemin.

— Eh bien, parfois, dans la vie, les rôles changent. La fille devient la mère, la Maman joue le rôle du Papa, et la sœur qui a toujours géré a besoin d'aide. Aiguille-moi : je veux récupérer Baptiste. Cela fait huit mois qu'il a quitté la maison et je suis fatiguée d'être en guerre froide avec lui.

Lili s'arrêta, reposa sa cuillère pleine de chocolat et plongea son regard dans celui de sa sœur.

— OK, si je t'aide avec Baptiste, alors, toi, tu m'aides aussi.

— Bien sûr, comme je l'ai toujours fait. Je ne demande pas mieux. Tu veux de l'aide sur quoi ? Ne me demande pas d'abandonner la viande, s'il te plaît, répondit Rose, dans une boutade qu'elle jugea aussitôt déplacée.

— Non, je veux que tu m'aides. Financièrement. J'ai démissionné.

42

Jeter le bébé avec l'eau du bain

Rose était livide. Elle ne se remettait pas de la nouvelle farfelue de sa sœur. Démissionner ? Alors qu'elle avait eu sa promotion et qu'elle devait déménager à Marseille dans cinq mois !

— Mais... je ne comprends pas, réussit-elle seulement à bafouiller.

— C'est pourtant très clair. Cela fait longtemps que je pèse le pour et le contre. Je vais avoir 40 ans et je ne peux plus attendre de tomber par hasard sur le prince charmant. Mon travail est un vampire, qui suce toute mon énergie !

— Mais qu'est-ce que c'est encore que ce charabia ? Tu es certaine de manger assez de protéines ??? C'est quoi, le rapport entre ton travail et tes amours ?

— Cela me semble évident, rétorqua Lili. Je dois changer de job et prendre le large si je veux rencontrer de nouvelles personnes, et peut-être enfin le « bon ». De toute façon, s'il existait, tu l'aurais déjà rencontré, toi : tu passes tes journées dehors à voir des gens. J'avais bien pensé contenir mon obsession de trouver un mec en devenant « *dog-sitter* », mais…

— Tu es contre la cruauté faite aux animaux ! taquina Rose.

— Tu es vraiment con-con, toi ! Je suis sérieuse pour la démission, Rose, conclut Lili. Si tu avais vu la tête de mes patrons : ils tiraient une tronche ! Tu vas devoir partager un peu de ton salaire de nounou pour chien. Tu me connais : j'ai toujours été du genre « cigale » et je ne suis pas près de retrouver quelque chose. Je n'ai aucune piste sérieuse et j'ai été obligée d'écarter l'option garde d'animaux, car, comme tu es allergique, un chien m'aurait fait perdre la seule personne à peu près saine d'esprit qui accepte de venir squatter mon canapé avec une certaine régularité. Tu es un peu ma *couchsurfeuse* à moi !

Les deux sœurs se prirent dans les bras et restèrent ainsi de longues secondes. Chacune avait besoin d'un peu de tendresse. Une tendresse de grandes personnes parfois perdues dans un monde d'adultes.

43

Tel père tel fils

Rose avait rendez-vous. Et elle stressait. Cela ne lui était pas arrivé depuis… Enfin, bref ! Elle ne savait plus comment se comporter et se sentait si mal qu'elle avait la nausée au bord des lèvres.

Ne pas polluer les retrouvailles avec un malaise vagal ou une diarrhée verbale à la Bridget Jones !

Pour ne pas se sentir complètement seule, elle lui avait donné rendez-vous au Café des Batignolles. Elle s'était installée à sa table fétiche, mais ne parvenait pas à imaginer une fin heureuse à la discussion qu'elle s'apprêtait à avoir. Elle avait définitivement bien fait de garder Edgar près d'elle.

Pour pouvoir la ramasser à la petite cuillère, le cas échéant.

Quand il entra, son cœur s'arrêta. Il avait vieilli et semblait fatigué. Mais il était beau dans ce complet-veste bleu foncé. Elle ne l'avait jamais vu si élégant. Il s'assit en face d'elle, la fixa. Elle aurait aimé qu'il lui sourie ou l'embrasse sur la joue.

Mais on ne change pas un requin en poisson-clown en un rendez-vous...

Edgar leur apporta deux cafés. Pendant quelques instants, ils étaient restés silencieux, chacun absorbé par sa tasse fumante. Rose se lança donc :

— Tu es magnifique, mon fils. Cela me fait tout chose de te voir en costume. Bravo pour ton diplôme d'hôtellerie : j'ai appelé l'école et j'ai appris que tu avais eu les félicitations du jury. Comment se passe le travail, maintenant ?

— J'ai changé de job. J'ai laissé mon maître de stage et je bosse désormais avec le père de Jessica, dans son complexe hôtelier. J'ai un super poste pour mon âge. J'ai de la chance qu'il m'ait accordé sa confiance.

— Et comment va Jessica ? La fin de grossesse se passe bien ?

Bien jouée, la question sur la belle-fille. Et important, pour marquer des points auprès de Baptiste...

— Oui, la naissance approche. Elle vient de commencer son congé maternité. Ça fait des années que son père la prépare à sa succession. Elle est aussi employée là-bas, en tant que sommelière. C'est sérieux chez eux : genre comme chez les Hilton, sauf que Jessica, ce n'est pas Paris, c'est plutôt le genre Polytechnique…

Poly-quoi ?

— Son père va lever le pied après le congé de Jessica. Là, il me teste et m'en fait baver, mais c'est de bonne guerre. Ça me plaît de trimer, tant que cela reste ma passion.

Rose resta silencieuse : elle ne savait pas comment aborder la question principale. Pierre. Lili l'avait briefée.

Laisse-le parler, pose des questions ouvertes, ne le juge pas et, surtout, ne demande rien !

— Je t'ai apporté ça, répondit-elle seulement en lui tendant une vieille photographie jaunie. C'est toi quand tu étais bébé. Tu devais avoir quelques jours. Regarde cette frimousse ! Pas de cheveux, mais toujours le sourire. J'espère que le bébé sera aussi mignon que toi.

— Difficile à dire. Pour le moment, *il* est bien au chaud, continua Baptiste en montrant sur son portable une photo de Jessica très largement enceinte.

La jeune femme rousse était sublime et elle offrait son sourire le plus amoureux au photographe.

Rose était émue. Son fils faisait un pas vers elle, consciemment ou non, elle s'en fichait. Et il avait dit « il ». La jeune grand-mère voulait lâcher une larmichette, mais se retint.

Ne pas tout ruiner !

Quand Baptiste rangea son téléphone dans sa poche, Rose se raidit. Il allait falloir arriver au nœud de la discussion. Elle ne voulait pas parler la première. Lili le lui avait dit : « En négociation, celui qui perd est toujours celui qui parle en premier. » Elle s'était entraînée à être à l'aise avec les silences. Muette comme une carpe, elle était.

Un vrai maître Yoda.

Rose jetait des coups d'œil à Edgar, qui les observait et ne comprenait pas ce manège silencieux. Pensant aider, il arriva avec une part de tarte à partager, mais aussitôt Baptiste se leva :

— Je n'ai pas le temps. Je voulais juste te revoir et te demander ton aide. Avec Pierre. Je l'ai contacté et cela s'est très mal passé. Loin d'être des retrouvailles de rêve…

Tu m'étonnes.

— Je me charge de ton père, Baptiste. Je vais lui parler samedi et tout régler. On se voit la semaine prochaine pour se tenir au courant ? Travaille bien et embrasse Jessica pour moi.

Bravo Super Mamie ! Détachée, pas insistante. Juste ce qu'il faut. En progrès !

Quand il franchit la porte du café, Rose s'effondra. Alerté, Edgar s'assit à côté d'elle et l'enserra amicalement pour lui remonter le moral.

— Séchez vos larmes, Rose. Que vous arrive-t-il ?

Rose était sans voix, elle tressautait et essayait désespérément de répondre :

— Je pleure, car ça s'est déroulé à merveille, mille fois mieux que prévu, lâcha-t-elle à la grande surprise d'Edgar, qui continuait de tenir le mouchoir trempé de sa cliente préférée.

44

Tourner sept fois sa langue
dans sa bouche

Alors qu'elle s'apprêtait à franchir le seuil de l'appartement de la fille Lupin, Rose ressortit aussitôt et tira la porte derrière elle. Elle venait à peine de découvrir le SMS envoyé par la première *couchsurfeuse* qu'elle et Colette avaient décidé de recevoir. Ses jambes flageolaient tellement qu'elle dut s'asseoir contre le mur du palier : elle n'avait pas la force de grimper deux étages pour être au calme dans sa studette.

La surfeuse de canapé japonaise avait décidé d'arriver une semaine plus tôt que prévu et débarquait déjà. C'était une catastrophe ! Rose devait absolument annuler sa venue. Le fameux dîner de Véronique Lupin était prévu le soir même et il était hors de question pour Rose de prendre ce genre de risque inutile.

Rose continua la lecture du texto. La Nippone lui demandait de la rappeler pour confirmer que tout était réglé. Rose paniqua à l'idée de mener une discussion entièrement en anglais. Elle décida alors de lui envoyer une vidéo, où elle lirait un texte sans équivoque soigneusement préparé. Alors qu'elle avait galéré pour trouver comment enclencher le mode vidéo de son smartphone, Rose commença à enregistrer ses explications en hurlant et surarticulant chaque mot de façon à ce que sa Japonaise saisisse la gravité de la situation :

— Pas possible venir aujourd'hui ! *Today, not possible !* Canapé déjà pris. *Couch already with someone inside.* (Petit mensonge, mais cas d'extrême urgence, non ?) Semaine prochaine OK. *Next week, YES. Today, NO.* OKAY ???

Appuyée contre la porte de Véronique, Rose tentait de retrouver son calme. Elle avait braillé son discours en anglais comme si sa vie en dépendait. Il y avait mieux comme premier contact quand on se voulait être un hôte 5 étoiles ! Elle tapait un petit message d'accompagnement, quand elle tomba à la renverse, ce qui la coupa net dans son envoi.

45

On n'a pas élevé les cochons ensemble

À la recherche de l'hurluberlue qui hurlait et l'empêchait d'aligner ses chakras, c'est une *dog-sitter*, tête sous sa jupe et rouge de surprise puis de honte, que Véronique Lupin trouva sur le palier derrière sa porte.

— Rose ? Mais c'est vous qui vociférez comme un goret ? Qu'est-ce qui vous prend ? s'estomaqua Véronique, en saisissant le portable à l'origine du délit pour le confisquer.

Ce n'était pas le moment pour Rose de l'ouvrir : elle avait appris à décoder le langage de sa patronne.

Premièrement, la dernière question posée était purement rhétorique : en aucun cas, Véronique ne voulait savoir quoi que ce soit sur les raisons du manque de manière, de son employée. Pas intéressée, et pas de temps à perdre pour cela.

Deuxièmement, Rose pouvait se réjouir : Véronique connaissait enfin son prénom, même s'il avait été associé à des animaux peu civilisés.

La fille Lupin ne s'embarrassa pas à rendre le téléphone à Rose ni même à vérifier qu'elle allait bien. Vêtue de son pyjama blanc en soie, Véronique s'affala sur son canapé, se massa la voûte plantaire en regardant ardemment Rose, puis lâcha :

— Je suis déprimée : un grand vide m'habite.

Tant de lucidité en une seule phrase. Attention au claquage du cerveau !

— Mais pourquoi donc ? encouragea faussement Rose. Votre manifestation contre les sans-abri est annulée ?

— Grand Dieu, non ! Heureusement. C'est le seul projet qui me remonte le moral ces temps-ci. Et il faut absolument que l'on mette fin à cette mascarade. Ce matin encore, j'en ai vu qui étaient déguisés en réfugiés miséreux pour attirer la pitié des gens crédules et pour qu'on leur mette à disposition des appartements dans les plus beaux quartiers de la capitale. Alors qu'en réalité ils roulent en Mercedes !

— Comme vous ? Ah, oui, je comprends mieux le choc que vous devez ressentir… Il faut effectivement que vous fassiez quelque chose, Madame, continua Rose, foudroyée par le regard interrogateur de sa patronne qui cherchait à savoir si c'était du lard ou du cochon.

— Je n'aime pas trop votre petit ton, Rose. On voit bien que ce ne sont pas dans vos poubelles qu'ils fouillent.

Mais de quoi a-t-elle peur ? Qu'ils travaillent pour les impôts et cherchent les preuves nécessaires à un redressement fiscal ?

— Ils cachent quelque chose, ils ne sont pas nets : je les observe, moi aussi, quand je vais promener Pépette... poursuivit Véronique.

Ce qui doit arriver à peu près JAMAIS...

— Bref, revenons-en à nos moutons. Cet après-midi, nous défilons pour notre cause. Et devinez quoi ? Ils ont prévu de la pluie ! On n'est vraiment pas aidés. Que feriez-vous à ma place ?

Ne pas manifester, déjà !

— Si je tiens le parapluie, je ne pourrai plus brandir la banderole. À moins que...

— Et mettre un K-Way ? proposa aussitôt Rose, qui se voyait embarquée dans une galère.

Devant le regard vide d'incompréhension de la fille Lupin, Rose se rattrapa :

— Et si vous passiez un imperméable ? Ou un trench ?

— Hors de question de mettre un manteau de pluie ! Vous plaisantez ? Avoir des convictions, oui ! Mais renoncer à être élégante, non ! Et cela a déjà fait l'objet d'une réunion de deux heures où Bettina nous a forcé la main avec ses macarons de chez Pierre Hermé. Celle-là, elle ferait mieux de regarder ses fesses dans un miroir plutôt que de nous engraisser ! *C'est une péninsule !* J'ai tenu bon, enfin, j'ai dû passer aux toilettes deux fois, mais au moins nous sommes finalement tombées d'accord sur le fait de mettre nos fourrures demi-saison, celles à manches trois-quarts. Cela ne va pas du tout aller avec la pluie. Que faire, Rose ? À moins…

— Et si vous alliez faire un brushing très serré et laqué ? Vos cheveux ne deviendraient pas hirsutes et vous passeriez dans les journaux comme ces militantes aux convictions si fortes qu'elles sont prêtes à en découdre avec les éléments.

— Mais qui vous a dit que j'avais des problèmes capillaires ? Moi, l'eau iodée, cela ne me fait pas peur. Vous pensez bien : nous allons en hélico à Dinard dans la villa de Richard nous entraîner au golf deux mois dans l'année. Donc rester dehors par temps difficile, c'est le cadet de mes soucis. C'est Samantha qui frise. La pauvre, elle ne peut même pas aller au spa du Ritz sans ressortir avec la tête de caniche qu'avait Nicole Kidman à ses débuts. Elle ne se rend même pas compte du ridicule de la situation ! Non, ce qu'il nous faudrait, voyez-vous, Rose, c'est…

Rose, qui ne savait pas si sa patronne réfléchissait à voix haute ou si, tout au contraire, elle avançait ses arguments prétendument spontanés, l'un après l'autre, pour lui asséner le coup fatal, préféra esquiver :

— Il y aura qui ce soir ? Des amis à vous ?

— Des amis ? Vous vous moquez de moi ? Ceux qui viennent ce soir sont tout sauf mes amis. Si je pouvais, je me passerais bien d'eux. Nous ne sommes pas du même monde ! Ce ne sont que des nouveaux riches vulgaires, habillés comme des ploucs. Et loin d'être des lumières ! Malheureusement j'ai besoin d'eux. Seule, je ne pourrais pas mettre fin à ce projet ridicule. Alors, si cela veut dire me farcir Bettina, Samantha et les autres greluches du cabinet de Richard, qui feraient bien mieux de se faire greffer des neurones plutôt que des implants mammaires, je prends sur moi et offre mon sourire le plus faux-cul, lâcha Véronique dans un souffle qui semblait lui avoir demandé tout l'effort du monde.

Le moins que l'on puisse dire était que Véronique ne semblait pas les porter dans son cœur.

Rose réalisait à quel point sa vie devait être triste. Toujours seule, en représentation permanente pour se montrer sous son meilleur jour et sans aucun véritable ami. Pas étonnant que la dépression et la cryogénie soient ses meilleurs

216

compagnons ! Rose ne comprenait pas très bien quel devait être son rôle lors de cette petite sauterie. Elle demanda alors :

— Et pour Pépette, je lui fais travailler son numéro sur les deux pattes arrière ? Et les roulades ? Pour votre information, je l'ai conduite hier chez Karine, la toiletteuse.

— Ne m'encombrez pas le cerveau avec des noms qui me sont inutiles. Qui c'est ça, Karine ? Quelqu'un de votre monde ? C'est censé m'intéresser ? Vous saviez que l'on n'utilise que dix pour cent de nos capacités cérébrales…

Assurément moins pour certaines…

— … alors gardez le détail de votre carnet d'adresses du *Bottin Pas Mondain* pour vous. C'est clair ?

Limpide !

— Préparez Pépette pour ses numéros et faites-moi votre charlotte aux fraises. Cela fera du bien au fessier de Bettina. Je ne vous retiens pas ! Et puis, je ne tolérerai plus de vous entendre hurler ainsi pendant vos heures de travail. Y avait-il seulement une bonne raison de s'énerver ?

— Sûrement pas, en effet… commenta Rose en récupérant son portable et s'éclipsant vers l'appartement de Colette.

Juste une Nippone qui essaie de s'inviter à votre petite sauterie ! Pas certaine qu'elle soit de votre standing !

Allez, on résout les problèmes un par un. La Japonaise : semaine prochaine. Mais comment ça, je n'ai plus de place dans mon portable pour partager ma vidéo ? Il y a urgence, là ! *Enfin :* message envoyé !

46

À table !

Dans l'histoire des manifestations sociales, jamais on n'avait connu une cause si absurde.

Quelques heures après que Rose s'était entretenue avec sa patronne, trois renards, au brushing « Catherine Deneuve » discutaient à bâtons rompus sur le canapé en crocodile albinos du salon. Elles s'enguirlandaient sur le choix de leur slogan, ou la couleur de leurs banderoles, mais étaient d'accord sur le fond : cette manifestation contre les sans-abri était indubitablement l'aventure la plus trépidante de leur vie monotone, uniquement rythmée par la lecture des pages saumon du *Figaro*.

Rose, qui pensait avoir tiré le gros lot avec Véronique, constatait que l'arrogance de sa patronne n'était pas une édition limitée !

Après avoir sourcillé autour d'une part de tarte meringuée, la meute d'autruches, fourrures démesurées sur jambes maigres comme des échasses, fit le tour du propriétaire. Dans un froid polaire, que leurs terminaisons nerveuses ne ressentaient plus, elles s'extasiaient sur les dernières acquisitions de leur hôtesse.

Les reines du shopping se figèrent, dithyrambiques, autour de la dernière trouvaille artistique de la fille Lupin : une œuvre contemporaine intitulée « Gueule de bois et déboires », qui ressemblait aux vestiges d'une soirée étudiante trop arrosée dans une colocation de garçons. Aux yeux de Rose, cela ressemblait à tout, sauf à de l'art ! Il était évident que l'argent n'achetait pas le bon goût.

La goutte au nez et des fourmis dans les pieds malgré son Damart, Rose observait discrètement la scène. Elle n'avait jamais vu d'aussi près tant de fourrures, de bijoux ni de cheveux laqués au mètre carré. Souvent, elle s'était demandé si elle enviait les gens pour qui elle travaillait. Comme disait la publicité pour les rillettes : « *Nous n'avons pas les mêmes valeurs !* » Cependant, cette fois, elle en avait la certitude : c'était pour le mieux !

Qui pouvait de nos jours accepter de tuer de pauvres bêtes uniquement pour leur douceur, celles-là mêmes qui vantaient le pelage soyeux de Pépette ? Qui pouvait dépenser des milliers d'euros pour une œuvre d'art qui ressemblait à une déchetterie ? Qui pouvait sincèrement éprouver du dégoût pour des sans-abri qui cherchaient dans les poubelles les restes de repas que ces dames jetaient entiers de peur de grossir ?

Rose s'était demandé comment Baptiste ou Pierre réagiraient s'ils savaient quel genre d'emploi elle occupait. Ce qu'elle avait fait de toutes ses ambitions, de ses rêves de devenir infirmière. L'activité de médecin de Pierre à travers le monde devait de toute évidence être plus passionnante que ses séances de toilettage avec Pépette.

Malgré son amour pour la bonne nourriture, Rose était prête à devenir *vegan* sur-le-champ si cela permettait de faire disparaître la bêtise humaine de la surface de la planète. Mais il semblait que la connerie était plus contagieuse que la solidarité !

Du haut de l'immeuble en pierre de taille, Rose regarda partir la manifestation. Elle ne savait pas comment tout cela allait finir, mais elle souhaitait oublier *ces filles et femmes de,* encombrées par de trop nombreuses liasses violettes. Rose regrettait que la fille Lupin n'ait pas plus la main verte. Elle aurait bien, malencontreusement, fait tomber un pot de fleurs du balcon sur une des poules de luxe qui s'égosillaient. Ou au moins une bonne poignée de terreau.

Dans la foule, Véronique Lupin n'était pas facilement identifiable. Toutes ses amies, ou plutôt ses connaissances, avaient revêtu l'« uniforme » de rigueur : la fourrure, le brushing blond, les perles autour du cou, la banderole et le chihuahua sous le bras. Parées de leurs atours les plus dispendieux, elles étaient venues défiler en nombre. Cela ressemblait à une parodie.

Leurs revendications faisaient froid dans le dos. Les badauds dans la rue étaient interloqués. La plupart pensaient à un canular ou à une caméra cachée. Ils ne parvenaient pas à comprendre comment des centaines de nantis pouvaient déambuler dans la rue. Le plus effrayant était l'aisance avec laquelle chaque manifestante répondait aux questions des journalistes, au premier degré, appuyant ses arguments financiers imparables devant le regard écarquillé des passants.

« Si la maire n'entend pas nos requêtes, il y a aura des représailles. Et ce qui sera construit, nous le détruirons ! »

Rose se sentait honteuse, elle avait l'impression de collaborer. Par son silence et sa passivité, elle se trouvait complice de cette cause abjecte. Elle-même avait eu la chance d'obtenir un logement social quand elle s'était installée seule avec son bébé à Noisy-le-Grand. Sans ces centres construits par l'État, elle n'aurait jamais pu donner une chance à Baptiste de réussir. Pour ces sans-abri, la situation était encore plus critique, et entendre parler de violence pour détruire ces nouvelles habitations, alors que des familles entières en avaient besoin, exaspérait profondément Rose.

Devant cette horde de dames pleines aux as qui partait des Batignolles, puis se déplaçait symboliquement de la place Vendôme à la rue de la Paix, il revint en tête à la jeune femme ces activistes anti-fourrure qui faisaient entendre leur voix dans la capitale parisienne à chaque défilé automne-hiver et qui aspergeaient les luxueux manteaux de peinture rouge, pour représenter le sang des animaux sacrifiés au nom des dernières modes.

Quand Rose entendit les menaces contre la maire de l'arrondissement et son projet controversé, son sang ne fit qu'un tour. Elle claqua la fenêtre du balcon. Impossible d'en entendre davantage. Ces énergumènes venaient dîner chez Véronique le soir même. Si Rose n'avait pas eu le temps de prévoir de la peinture carmin, ni même un semblant de tomate, elle trouverait bien une idée pour que sa patronne voie rouge !

47

Un plat qui se mange froid

La manifestation finie, ils s'étaient tous retrouvés chez la fille Lupin. Une coupe à la main, les invités attendaient Véronique. Depuis plus d'une heure, elle se faisait désirer. Elle connaissait le retard des gens normaux, le fameux quart d'heure de politesse, qu'on laisse courtoisement aux hôtes.

Véronique, elle, avait décidé d'inventer « les quarts d'heure de petitesse » : plus elle retardait son apparition, plus elle créait une attente, une distance entre elle et ses convives. Plus ils en sortiraient petits, et elle grandie. De toute façon, avait-on déjà vu une star arriver à l'heure pour un concert ? Et puis, elle n'était pas pingre : elle les faisait patienter avec du champagne millésimé…

Tout était prêt depuis des heures, mais il fallait avoir le sens du timing. Véronique, comme à un défilé, attendait le top départ pour faire son entrée. Elle avait tenu à relooker son appartement immaculé d'un long tapis indien rouge pour accompagner son arrivée. C'était la soirée de sa vie, celle où elle devait briller devant ses invités, se montrer sous son plus beau jour. Chaque élément du décor était en place. Tout avait été minutieusement pensé…

Pépette était magnifique. Le poil blanc, soyeux et luisant. Même Rose avait eu envie de câliner la bête. L'après-midi avait été réservé aux roulades et cabrioles, toutes félicitées par un gâteau sec pour chiens, que Rose était fière d'avoir introduit avec succès dans l'alimentation, auparavant déplorable, du toutou. Il n'y avait aucune raison pour que l'animal ne se tienne pas à carreau ce soir-là.

La fille Lupin, et cela aurait écorché la bouche de Rose de l'avouer, était sublime. Elle avait revêtu une robe-bustier, tissée au fil d'or, qui découvrait, en biais, ses jambes bronzées. Ses cheveux, ondulés en cascades, avaient été ramenés sur l'une de ses épaules, dévoilant une paire de boucles d'oreilles pendantes et étincelantes de diamants. On se serait cru à l'avant-première mondiale d'un film avec Charlize Theron ou dans une publicité pour parfum.

Rose, quant à elle, portait une tenue de soubrette, couleur guimauve, avec son tablier-napperon blanc. Elle avait dû se plier au souhait de Véronique, qui l'avait exigé pour faire bonne impression à ses invités. Elle lui avait fait remarquer que les vêtements qu'elle portait habituellement n'étaient pas dignes d'un tel événement. Elle avait souligné, mesquine : « Que vont penser les gens en vous voyant, habillée comme ça ? Que le centre d'hébergement pour SDF se trouve chez moi ?! » Rose n'avait même pas répliqué. Son fils aurait eu honte d'elle. Elle était en train de vendre son âme au diable, de renier ses principes, et tout ça pour quoi ? L'objectif de départ aurait dû être d'accepter le travail pour remettre sa vie sur les bons rails. Là, c'était plutôt « *Highway to Hell* ». Il fallait qu'elle réagisse.

Véronique s'apprêtait à faire son apparition, mais elle s'était rendu compte que ses invités avaient fini par l'oublier. Ils papotaient entre eux, s'étaient éparpillés entre le balcon, le salon et la cuisine. Ils parlaient de tout, sauf d'elle. Entrer maintenant aurait totalement gâché une préparation si minutieuse. Véronique commençait à s'énerver et désormais une veine tapait contre sa tempe. Ce n'était pas bon pour son arrivée spectaculaire. Rose suggéra une idée qui plut tout de suite à son employeur : elle allait créer un événement, avant l'événement.

Rose demanda à Véronique une pause de quelques minutes pour se rafraîchir avant de faire entrer triomphalement celle qui portait du Prada. Bien évidemment, celle-ci refusa :

— Vous trouvez que c'est le moment ? Allez-y ! Dépêchez-vous ! Mon maquillage est en train de fondre avec toute cette attente. Une minute de plus et je ressemblerai à ma mère ! lui répondit-elle furieuse.

De *dog-sitter*, elle était passée à *femme à tout faire !*

Alors Rose s'exécuta, encore. Elle s'avança avec ses vêtements de Cendrillon de 00 h 15, et mit de la musique. Véronique lui avait expressément demandé de passer son disque préféré « *Vos classiques* » à la piste 3 : *Le lac des cygnes* de Tchaïkovski. Elle invita ensuite tous les convives à se réunir autour de l'œuvre d'art contemporaine « Gueule de bois et déboires », qui avait déjà accueilli à ses côtés quelques verres vides. Rose laissa le premier ballet s'achever, puis enchaîna avec la marche triomphale d'*Aïda* de Verdi. Aussitôt Véronique apparut, en bout de tapis rouge, sous les applaudissements émerveillés de ses convives. Elle fit semblant de rougir de gêne, déambulant comme une princesse, avec Pépette sous le bras, jusqu'à ses acolytes qui avaient partagé avec elle la folle journée de manifestation.

Sans en embrasser aucun, certainement pour éviter de faire baver son maquillage parfait, elle s'adressa à ses invités :

— Mes chers amis, camarades, associés. Aujourd'hui fut une grande journée. Celle de notre victoire ! Nous avons fait entendre notre voix et nous avons été compris. Ils ont saisi que si nous n'étions pas satisfaits, nous mettrions littéralement le feu aux poudres. De ce fait, je vous annonce que la maire de Paris n'a pas eu d'autre choix que de nous proposer de nous recevoir : une table ronde sera organisée à l'Hôtel de Ville dans les jours à venir !

Toute l'assemblée applaudit à cette nouvelle, ce qui donna la nausée à Rose. Celle-ci se demanda où Véronique avait trouvé l'inspiration pour ce discours. Certainement pas dans l'éducation que lui avait donnée Colette, elle pouvait en témoigner… ou alors quelque chose lui échappait totalement à propos de la nature humaine.

— Levons nos verres ! À la victoire !

— À la victoire, répondirent en chœur ses compagnons de lutte.

Et, se tournant vers sa *dog-sitter* :

— Blanche, du nerf ! Vous voyez bien que nos coupes sont presque vides.

Rose repartit à la cuisine avec la bouteille de champagne vide, qu'elle avait terminée cul sec, et le Loulou affamé sur ses talons.

Comment tu fais pour la supporter ?!

Pépette poussa un genre de gémissement qui laissa penser à Rose que cette chienne comprenait plus de choses qu'il n'y paraissait.

La jeune femme s'enfuit en direction de l'appartement de Colette. Quand elle croisa la vieille dame, elle n'eut pas la force de lui dire quoi que ce soit et s'enferma dans la salle de bains. Elle avait besoin de faire le point, pour trouver la force intérieure de continuer.

Rose se regarda dans le miroir. L'image qu'il lui renvoyait, celle d'une soubrette – napperon et plumeau – n'était pas des plus flatteuses. Si elle faisait un bilan, elle devait bien l'avouer, depuis quelques mois, sa vie foutait le camp ; déjà que ce n'était pas *joli joli* auparavant. À l'aube de ses 37 ans, elle était sur la bonne pente pour finir vieille fille.

Elle s'était toujours montrée trop sage, trop bien élevée – Colette aurait dit invisible et transparente –, cette jeune mère s'était embourbée dans une vie médiocre, et tout le monde l'enjambait gaiement, sans la considérer. Oubliée de tous, sur le bord du chemin.

Ne restaient pour Rose que son désarroi et son nouvel emploi. Véronique Lupin, aussi riche que méprisante, se permettait, à chaque fois qu'elle s'adressait à elle, de se servir de l'ego de Rose comme d'un paillasson. Ce soir-là, c'était le pompon ! Et pas celui du marin, qui porte chance. Son employeur venait de dépasser les bornes.

L'autoproclamée reine la prenait pour sa bouffonne.

Comme une cocotte-minute qui chauffe à petit feu, Rose, qui avait passé sa vie entière à ne jamais dire ce qu'elle pensait, à tout garder pour elle, venait d'atteindre ses limites. Elle allait partir, mais la tête haute.

Trop, c'était trop ! Il était enfin temps de mettre en pratique sa bonne résolution : s'affirmer !

48

On n'est pas chez Mémé

Rose sortit de la salle de bains et retrouva Colette. La vieille dame était en train de dresser la charlotte aux fraises que Rose avait préparée pour la petite sauterie de Véronique. La mère Lupin ne voulait en rien être mêlée à cette soirée ridicule, mais avait proposé à Rose de lui donner un coup de main.

La tenue de soubrette, les yeux embués et les tremblements incontrôlés de colère de la jeune femme suffirent à faire comprendre à Colette que le moment tant attendu était venu. C'était le jour J : Rose était enfin capable de tout envoyer balader. Et cela voulait dire être prête à mettre fin à sa relation avec sa toquée préférée.

En silence, Colette et Rose se sourirent, puis se prirent dans les bras. Elles se serrèrent le plus fort possible. Elles n'avaient pas besoin de mettre des mots sur ce que Rose s'apprêtait à faire ni sur les conséquences de cette rébellion. Malgré tout, Colette la soutenait. Son rôle de donneuse officielle de coups de pied au derrière s'arrêtait ici. Rose prenait son destin en main et son idée était diabolique ! Elle allait faire passer un sacré moment aux amis de Véronique, et à sa patronne en premier lieu. Mais elle savait qu'elle ne pourrait pas faire marche arrière après. Il n'y aurait aucun moyen d'en réchapper.

Le toutou sur les talons, la jeune femme redescendit l'escalier munie de son énorme gâteau. Pépette, d'habitude si gourmande, n'en voulait cependant pas cette fois. Le laxatif, qu'elle venait tout juste d'ajouter, avait définitivement rebuté la boule de poils, qui préférait se concentrer sur le numéro canin qui laisserait, à tous les convives, un souvenir mémorable.

49

L'enfer, c'est les autres

À pas de loup, Rose rejoignit la réception de Véronique. Elle n'avait qu'une seule chance de réussir son coup terrifiant. Elle déposa sa charlotte aux fraises dans le plat le plus étincelant qu'elle avait pu trouver et versa par-dessus une crème mascarpone aérienne : ce dessert avait l'air succulent. Elle se retint de le lécher avec le doigt.

Suivie du toutou, elle sortit de la cuisine avec le gâteau, le déposa au centre de la table du salon et arpenta la pièce à la recherche de sa patronne. Elle se faufilait entre des invités hilares qui lui jetaient des regards curieux, quand soudain elle se fit attraper par le bras et projeter dans le garde-manger de la cuisine.

Les yeux furibonds de la fille Lupin lui donnèrent un début d'explication. Elle sentait l'alcool et hurlait plus que nécessaire :

— Mais qu'est-ce que vous êtes en train de faire ? Vous vous croyez à votre fête d'anniversaire ? À déambuler avec votre petite suffisance entre des convives d'une autre classe ? Vous pensez arriver à copiner ce soir et peut-être même à trouver un mari riche pour sortir de votre misérable condition ?

Plutôt me jeter et mourir écrabouillée par un métro que d'épouser l'un d'entre eux !

— Vous avez décidé de vous rebeller et de n'en faire qu'à votre tête ? Vous savez mieux que tout le monde, peut-être ? Non, vous ne savez rien ! Ça, je vous le dis. Ça se voit juste en vous regardant. Je l'ai vu dès la première fois que je vous ai aperçue, sur le palier, avec vos poubelles.

Quelle mémoire ! Pas pour les personnes, ni leur nom, mais dès que cela avait trait aux poubelles : Véronique se montrait incollable ! Peut-être avait-elle été éboueuse dans une autre vie ?

Si elle avait eu un dernier remords, Véronique venait de le lui enlever : comment cette femme pouvait-elle se montrer d'une telle violence, dans ses gestes et ses mots, à son égard ? Elle n'avait rien fait, et rien n'excusait le comportement de sa patronne.

Rose serra les dents une dernière fois et enclencha son plan :

— Madame, je vous cherchais. Je tenais à vous informer que Pépette est prête pour son tour. Dites-moi : vous souhaitez commencer maintenant ou préférez-vous que je lance la musique plus tard ?

Attention, question à choix multiples ! Bug dans le cerveau, dans : cinq, quatre, trois, deux…

— Euh… Non, non, lancez la musique maintenant, mais surtout n'intervenez pas. C'est mon moment avec Pépette et je n'aimerais pas que vous gâchiez tout ! C'est moi qui lui ai tout appris, est-ce bien clair ?

— Bien évidemment, Madame !

Et un mensonge de plus ! À qui pense-t-elle faire avaler toutes ces couleuvres ?

— Je ne vous retiens pas plus longtemps. Mettez la musique. Et une fois le numéro fini, on passera au dessert. J'espère qu'il est aussi réussi que celui que vous m'avez fait déguster l'autre jour. Sinon, vous pouvez oublier votre travail ici.

— Je vous promets, Madame, qu'il est même meilleur. Vous m'en direz des nouvelles.

Il était temps d'asséner le coup de grâce !

50

Un coup pareil, ça peut vous tuer !

Rose se fraya un chemin parmi les invités. Elle enleva le CD de musique classique et cala, en Bluetooth depuis son téléphone, la musique qu'elle avait prévue pour le numéro canin.

Rose avait un compte à rebours dans la tête, le même que celui du Nouvel An. Tel le chien de Pavlov, aux premières notes de la musique de cirque, Pépette se dressa sur ses deux pattes arrière. Aussitôt tous les invités s'écartèrent et Véronique se mit au centre, près de sa chienne, pour s'attribuer évidemment tout le mérite du dressage.

— Voyez comme elle m'obéit. Et maintenant Pépette, couchée !

Le petit chien s'assit. La tête penchée, il attendait sa croquette de félicitation. Véronique lui lança un regard botoxé et le Loulou comprit que, contrairement aux répétitions avec Rose, il n'aurait droit à aucune gourmandise avant la fin du spectacle. Il se coucha donc par dépit en attendant les prochaines instructions.

— Pépette, roulade !

Le petit chien attendait que la musique de la roulade commence – si Véronique avait demandé, elle aurait su que ce chien était capable de bien plus d'exploits – quand, tout d'un coup, la musique entraînante cessa et un bruit de fond se fit entendre. On aurait dit une conversation mal enregistrée entre deux personnes. On reconnaissait deux voix féminines, mais elles étaient déformées, comme si l'enregistreur avait été étouffé par un coussin.

Véronique était furieuse d'avoir été interrompue dans son numéro de cirque par un incident technique. Elle chercha du regard sa *dog-sitter*, qui était introuvable.

Soudain le son se fit beaucoup plus net, et la voix aiguë de Véronique résonna parfaitement dans toute la pièce. Les invités se regardaient, amusés de surprendre une conversation privée qui, de toute évidence, n'aurait pas dû être retransmise : la curiosité se lisait dans leurs yeux.

Les discussions s'étaient interompues et tous tendaient l'oreille pour suivre cet échange enregistré entre Véronique et une autre voix qu'ils avaient du mal à identifier. C'était celle de Rose :

« — Il y aura qui ce soir ? Des amis à vous ?

— Des amis ? Vous vous moquez de moi ? Ceux qui viennent ce soir sont tout sauf mes amis. Si je pouvais, je me passerais bien d'eux. Nous ne sommes pas du même monde ! Ce ne sont que des nouveaux riches vulgaires, habillés comme des ploucs. Et loin d'être des lumières ! Malheureusement j'ai besoin d'eux. »

Véronique se liquéfia sur place. Tous la dévisageaient. Reprenant ses esprits, elle bondit sur la chaîne hi-fi, mais il n'y avait pas de CD à arracher. Véronique hurla, comme une furie, pour couvrir le son, mais on entendait très nettement. Elle tenta de sourire pour dédramatiser la situation.

« — Seule, je ne pourrais pas mettre fin à ce projet ridicule. Alors si cela veut dire me farcir Bettina, Samantha et les autres greluches du cabinet de Richard, qui feraient bien mieux de se faire greffer des neurones plutôt que des implants mammaires, je prends sur moi et offre mon sourire le plus faux-cul. »

Véronique arracha la prise du meuble hi-fi et la conversation s'arrêta enfin. Encore une fois, elle était au centre de l'attention, ses convives autour d'elle, mais leurs sourires avaient fait place à des regards choqués, presque assassins.

— Ce n'est pas ce que vous croyez. C'est un coup monté. Ce n'est pas ma voix.

Elle comprit qu'elle avait été piégée.

Un à un, les invités quittèrent le salon puis l'appartement en silence, n'offrant à leur hôte qu'un regard de mépris. Véronique était paniquée, elle les implorait de rester, mais tous l'ignorèrent.

Quand elle se retrouva seule avec Pépette, Rose réapparut et se planta devant elle.

— Vous ! Je vais vous étrangler. Je vous ai tout donné : un emploi, un toit, un peu plus d'éducation, et c'est comme ça que vous me remerciez ? Vous êtes virée !

Rose souriait et cela titillait encore plus sa patronne, qui se rapprochait d'elle, avec un air extrêmement menaçant. Si un couteau de cuisine avait traîné sur la table, Rose aurait été prête à parier que Véronique le lui aurait lancé à la figure.

Véronique continuait d'avancer vers sa *dog-sitter*. De toute évidence, elle ne comptait pas la laisser s'en sortir à si bon compte.

Pépette s'interposa alors entre les deux femmes et se mit à grogner. La boule de poils montrait les crocs. Elle ne devait pas supporter de voir ses deux maîtresses s'affronter ainsi.

— Pépette, au pied ! ordonna Véronique. Laisse cette pauvre fille à sa vie médiocre.

— Vous ne me virez pas, Madame, c'est moi qui pars ! déclara Rose, qui avait déjà entendu une phrase de ce genre dans un film. Je préférerais encore aller fouiller chaque poubelle de Paris avec ces malheureux qui crèvent de faim que de rester une seconde de plus à vos côtés : vous me faites vomir, vous et votre égocentrisme !

Rose tourna les talons et ouvrit la porte de l'appartement. En termes de repartie, ce n'était pas encore ça, mais on ne pouvait pas lui reprocher de ne pas avoir dit ce qu'elle pensait. Pépette, qui était figée entre les deux femmes depuis le début de leur affrontement, fit demi-tour et suivit en trottinant Rose qui dévalait les escaliers.

Véronique hurla alors :

— Pépette, reviens immédiatement, ou sinon…

Rose n'entendit pas la fin de cette réplique. De toute façon, cela ne l'intéressait plus. Elle, qui était allergique aux chiens, repartait de ce bel immeuble haussmannien avec ses affaires et un Loulou heureux à ses côtés.

Colette avait raison : elle se sentait enfin libre !

Quatre étages plus haut, Véronique s'était assise par terre, seule au milieu de son appartement glacial, et dévorait avec les doigts la charlotte aux fraises la plus réconfortante de toute sa vie ! Rose ne lui avait pas menti : elle était vraiment délicieuse et son ex-employeuse ne pourrait jamais oublier à quel point...

51

Kif-Kif bourricot

Le lendemain matin, Rose était nostalgique. Elle avait envie de retrouver son amie, mais elle avait interdiction de remettre les pieds chez elle. Véronique avait donc encore le dernier mot : Rose ne pourrait plus s'occuper de Colette. Elles ne pourraient plus partager leurs recettes au déjeuner, ne pourraient plus commérer dans leur jardin secret, ni inviter des surfeuses internationales : elles n'avaient plus de canapé en commun. Tout était fini. Elle perdait une amie. Même Pépette avait l'air perdu.

Rose était repassée dans la nuit pour empaqueter ses affaires. Elle n'avait pas voulu réveiller Colette, qui, pour une fois, dormait d'un sommeil profond.

C'était fou comme sa vie tenait en si peu de chose. Quelques sacs qui contenaient tous ces petits riens qui réchauffaient son cœur. Comme les fiches des recettes préparées ensemble et raturées par Colette qui se montrait toujours intransigeante avec la précision des grammages, surtout en pâtisserie. Combien de fois Colette lui avait-elle fait refaire la charlotte aux fraises : la jeune femme connaissait les ingrédients par cœur, désormais. Sans compter sa surprise du chef !

Quand elle tira la porte derrière elle, Rose fut frappée d'une fulgurance. Elle pénétra à nouveau dans l'appartement et attrapa le cadeau qu'elle avait oublié dans le tiroir de sa chambre : un doudou acheté pour le bébé à venir. Elle avait pensé à prendre son doudou d'adulte, mais celui-ci était encore plus important. Il lui rappelait son attachement à sa famille à elle, et il lui restait une tâche importante à accomplir.

Malgré l'heure nocturne, Georges, le charmant chauffeur de Madame Lupin, s'était proposé d'aider Rose à transporter ses paquets comme au premier jour, celui où toute cette histoire insensée avait commencé… Cette fois-ci, Rose n'hésita pas avant de donner une adresse de destination à Georges.

Celle de Lili.

Évidemment.

52

La vengeance est un plat
qui se mange froid

Colette s'était activée dès l'aube. La vieille dame détestait quand sa fille ramenait du beau monde : « Ils étaient souvent les moins propres », comme elle disait. Colette s'attelait donc à tout désinfecter : chez elle, mais aussi chez sa fille, de chez qui une odeur désagréable émanait. Colette s'empressa de jeter tous les sacs-poubelles que sa fille avait laissés traîner.

Véronique, elle, avait mal dormi et était encore saisie de crampes abdominales. Elle espérait que le fiasco de la veille n'était qu'un mauvais rêve. Malheureusement, même des draps en satin n'empêchaient pas les cauchemars.

L'urgence pour Véronique n'était désormais plus la construction du centre d'hébergement pour sans-abri, mais de se racheter une image. Et cela prendrait certainement beaucoup de temps, car, évidemment, la scène, filmée par certains de ses convives, s'était retrouvée sur les réseaux sociaux. Véronique Lupin allait commencer par le commencement, appeler son thérapeute qui lui prescrirait quelques calmants en attendant que l'orage passe. Même Richard ne donnait plus de nouvelles.

Rose composa le numéro de son acolyte, qui affrontait le dragon botoxé. Au bout de quatre sonneries, Colette répondit enfin, et Rose enchaîna :

— Allô, Colette ! Alors, cette charlotte aux fraises, elle a fait un malheur auprès de votre fille ?

— Un succès au niveau du transit, surtout !

— Tant mieux. Tout va bien de votre côté ?

— Plus ou moins. Une broutille. Il se trouve que, d'après Véronique, j'aurais accidentellement jeté à la poubelle une de ses dernières acquisitions, « Gueule de bois et déboires », si cela vous dit quelque chose. Bref, on s'en fiche. Elle me fatigue avec ces accusations perpétuelles ! Je pense que l'on va se retrouver toutes les deux à dormir dehors ce soir ! Bon, je dois vous laisser, Rose, j'ai mon crumble au four !

La nouvelle attaque de Véronique contre sa mère laissa un goût amer dans la bouche de Rose.

53

Soupe à la grimace

Une page de sa vie se tournait. Rose déménageait du quartier et elle craignait de ne plus jamais revoir tous ceux qui faisaient désormais partie de son univers. Au revoir, les amis des Batignolles et leurs discussions passionnées au café d'Edgar. Au revoir, Pépette et ses drôleries. Au revoir, Colette et ses idées toujours loufoques.

Alors qu'elle avait déjà commencé à déballer ses affaires chez Lili, Rose eut comme un nouveau pressentiment : une réelle intuition qu'elle décida de suivre.

Rose composa le numéro de Colette, mais celle-ci ne répondit pas. Il y avait de fortes chances pour qu'elle soit restée seule. Et son dernier échange avec sa fille l'avait visiblement ébranlée. Si elle avait fait une mauvaise chute, qui viendrait la relever ?

Rose avait besoin de s'assurer que sa nouvelle amie allait bien.

En arrivant devant le paillasson de la vieille dame, Rose se rendit compte que les flèches du dessin étaient tournées dans le bon sens et invitaient désormais à entrer. Rose n'avait pas eu le temps de s'en occuper : Colette avait décidé d'accueillir les premières *couchsurfeuses* à bras ouverts et semblait donc maintenant prête à faire pénétrer des invitées-surprises dans sa vie. Rose se sentit émue en constatant les progrès de la vieille femme.

Rose tambourina, mais personne ne vint lui ouvrir. Elle prit les clés de secours sur le palier, mais ne trouva personne chez Colette. Elle monta d'un étage, pénétra dans le studio qui lui avait été réservé, mais toujours rien. Même chose dans le jardin secret.

La jeune femme composa à nouveau le numéro de Colette. Après quelques sonneries, une voix d'homme, à l'autre bout du fil, l'informa d'un nouveau drame : Colette se trouvait dans une ambulance. Elle était tombée.

54

Minute, papillon

La vieille dame avait repris connaissance. Le bel infirmier à la voix rauque était rassurant. Elle aurait dû paniquer à l'idée de se savoir hors de chez elle, mais dans cette ambulance avec ses grandes fenêtres, elle n'avait pas peur.

Dans la cuisine, la dispute terrible entre la mère et la fille avait repris, et Colette s'était soudain sentie faible. Véronique, furieuse, convaincue d'une nouvelle échappatoire, avait tourné les talons et laissé Colette à son cinéma.

Sans public donc, la mère de Véronique avait fait une belle chute. Elle avait eu la chance d'avoir son portable sur elle. Elle avait tout juste eu le temps d'appeler le Samu.

Allongée sur son lit de fortune, Colette s'agrippa au bras du brancardier à ses côtés et lui demanda une faveur un peu spéciale. Surpris mais n'y voyant pas de contre-indication médicale, il souleva le dos du lit de Colette : elle resta à admirer le paysage parisien qui défilait sous ses yeux.

Colette le sentait : les examens qu'elle s'apprêtait à passer ne pouvaient pas être meilleurs que les précédents. Elle était plus faible et sa fille sauterait sur la première occasion pour décréter que, pour son bien, elle devrait s'installer dans une structure médicalisée. D'ailleurs, elle était déjà en chemin…

— Jeune homme, j'imagine qu'il n'est pas possible de prendre notre temps ? Cela fait des années que je n'ai pas revu ces rues qui m'étaient si chères et, avant de rejoindre ma dernière demeure, j'aimerais profiter du spectacle…

Une dernière fois ? songea-t-elle.

La tête appuyée contre la vitre, la vieille dame contemplait la beauté de Paris, les parcs de son enfance, les musées qu'elle avait arpentés étudiante, les monuments qu'elle avait adoré visiter avec sa fille, petite. Avant leur brouille irréparable.

Bizarrement, dans ce véhicule qui traversait la ville à toute allure, sirènes hurlantes, Colette se sentait en paix.

55

Attrape-cœur

Rose avait téléphoné à l'hôpital qui avait pris en charge Colette. Elle allait mieux, ce qui l'avait définitivement soulagée : on l'informa qu'elle pourrait passer en fin de journée lui rendre visite après la série d'examens qu'elle avait à subir. La personne qui lui répondit à l'accueil du service lui demanda : « Vous êtes sa fille ? », alors Rose mentit : « Oui. »

La vie de Rose avait pris depuis quelques mois une allure cocasse, mais elle se rendait compte que l'amour dépassait toute chose. Ce qu'elle était prête à faire pour son fils, elle ne l'aurait pas imaginé il y a encore quelques semaines. Comme Baptiste le lui répétait lorsqu'il n'était encore qu'un petit garçon : ils s'aimaient « plus haut que le ciel ».

Rose s'était souvent demandé comment une mère et son enfant pouvaient rompre complètement leur amour filial. Elle avait toujours cru que les choses s'arrangeraient avec Baptiste, car, au fond d'elle, rien ne pourrait jamais se mettre entre elle et la chair de sa chair. Ni un amoureux, ni une belle rousse.

Elle repensa alors à Colette. Elle ne comprenait toujours pas comment une mère et une fille pouvaient en arriver à se perdre, à s'ignorer. Elle n'en revenait pas du dédain de Véronique face à la fragilité de sa mère, c'était proche d'une non-assistance à personne en danger, comme l'avait dit si justement Lili. La bonne conscience avait évidemment poussé Rose à avertir Véronique Lupin, qui avait, après un long silence, fini par répondre : « Je connais ma mère, elle a le cuir épais, elle s'en remettra… »

Quoi qu'ait pu être la relation de ces deux femmes, face à l'adversité, à la maladie, elles auraient dû tout oublier, laisser de côté rancune et amertume. Rose sut à cet instant que cela lui servirait de leçon pour le reste de sa vie. Elle pensa aux mots de son père qui lui disait toujours : « Quand la vie nous offre une nouvelle chance, il faut savoir la saisir… » Elle prit son téléphone, il lui restait une tâche importante à accomplir qu'elle avait trop repoussée.

Sans tarder une minute de plus, elle composa le numéro de son premier amour. Pierre décrocha aussitôt.

56

Cœur d'artichaut

Au déjeuner, Rose retrouva les commerçants des Batignolles. Elle tenait à saluer ses amis et à les remercier pour leur soutien. Elle leur avait appris l'hospitalisation de Colette, et, dans un même élan, tous avaient proposé de l'accompagner pour lui rendre visite, ce qui avait beaucoup touché la jeune femme.

Les commerçants des Batignolles étaient attablés autour de Rose. Ils écoutaient, médusés, les péripéties surréalistes que venait de vivre la jeune femme : l'enregistrement de Véronique passé en direct sur les réseaux sociaux, la charlotte aux fraises dévorée en entier et Colette qui avait jeté l'œuvre d'art de Véronique aux ordures avant d'être conduite à l'hôpital.

Rose était désormais sans travail et sans toit. Une nouvelle sans-abri contre qui Véronique s'était acharnée. Mais la solidarité du quartier était sans faille : tous avaient proposé un endroit où dormir à Rose, qui avait poliment décliné, ayant décidé de s'installer chez sa sœur.

Alors que Rose stressait à l'idée de rencontrer Pierre, moins d'une heure plus tard dans le café, Morgane fit une annonce.

— Je profite du fait que nous soyons tous réunis, et peut-être pour la dernière fois, pour vous annoncer...

— Roulement de tambour, dramatisa Laurent.

— ... que la dernière FIV n'a pas fonctionné mais... mon dossier a enfin été accepté : je suis l'heureuse maman d'un petit garçon de 5 ans. Il vient de la République démocratique du Congo. Il s'appelle César.

Surexcitée, elle brandit l'écran de son téléphone.

— Regardez comme il est mignon : toujours en train de sourire, alors qu'il n'a pas eu une vie facile. On va devoir repenser notre quotidien pour lui consacrer le plus de temps possible. Mon mari va sans doute démissionner pour ne s'occuper que de lui : moi, dans tous les cas, je vais garder la boutique de vêtements. Ce sera de l'organisation, mais l'aventure commence enfin !

Tout se réjouirent.

— Encore une démission, prononça Rose à voix haute, perdue dans ses pensées.

— Tu parles pour toi ? demanda Laurent, étonné.

— Non, pour ma sœur. Elle aussi, elle change de vie.

— Tu as une sœur ? s'étonna Edgar, à qui elle disait pourtant presque tout.

— Oui, aînée. Mais reparlons plutôt de la superbe nouvelle de Morgane. Félicitations !

Morgane faisait circuler la photo sur son portable, quand soudain Edgar souffla :

— Rose, je crois que tu as de la visite. On va te laisser.

— Déjà ? On se revoit plus tard ici au café avant d'aller rendre visite à Colette ?

Elle terminait sa phrase quand elle croisa le regard d'un homme très grand, d'une quarantaine d'années, qui patientait effectivement depuis quelques minutes. Rose eut la sensation que son cœur s'arrêta net. Elle le reconnut immédiatement. L'idée que Pierre ne la reconnaisse pas lui traversa l'esprit, d'autant qu'il s'adressa au groupe, en fixant, d'abord, Morgane. :

— Je m'excuse d'avoir entendu votre conversation, mais je vous félicite, Madame. Je suis allé quelque temps au Congo, je connais bien la situation sur place : ils ont besoin de tout l'amour du monde, ces petits.

Et puis Pierre se tourna vers Rose. Quelque chose avait suspendu le temps. Comme si elle avait été projetée brusquement vingt ans en arrière. Certes, il avait vieilli, mais n'avait rien perdu de son charme. Il était toujours aussi bel homme. Pierre n'avait pas vraiment changé. Ses joues s'étaient un peu creusées, cependant les années semblaient avoir coulé sur lui. Il croisa son regard et, ému, lui sourit. Tout était encore si familier pour Rose : sa voix, ses expressions, sa façon de bouger. Il restait l'homme calme qui fait les choses justes et dit toujours ce qu'il faut.

C'est sûr, il n'avait rien de Dark Vador ! C'était plutôt le genre Han Solo.

Pierre lui fit une bise chaleureuse et se montra avenant, ce qui rendit la jeune femme perplexe. Après avoir appris que les retrouvailles avec Baptiste ne s'étaient pas passées comme prévu, elle s'attendait à une réaction beaucoup plus froide de sa part. Mais Rose le savait : il faut se méfier de l'eau qui dort. Elle resta donc assise, observa ses amis s'en aller et, enfin, sourit poliment à Pierre.

Rose essuyait ses mains moites sur son pantalon. Le trac l'envahissait chaque minute un peu plus.

Pierre et Rose avaient été éperdument amoureux. Et ils s'étaient quittés à contrecœur. Le destin les avait séparés près de vingt ans auparavant et, avec l'ironie dont il pouvait faire preuve, il les réunissait de nouveau aujourd'hui dans des circonstances plutôt singulières.

Ils s'étaient installés l'un en face de l'autre. Edgar leur avait apporté des cocktails de fruits frais. Pendant quelques secondes, Pierre et Rose étaient restés silencieux, sans se quitter des yeux.

— Tu n'as pas changé, lui dit-elle.

— Toi non plus. Tu es toujours aussi jolie !

Rose, gênée, continua :

— Donc ça y est : c'est le moment de tout se dire ?

— J'en sais déjà un gros morceau : j'ai rencontré Baptiste... Mon fils. Enfin, notre fils, pardon. Je ne m'en remets toujours pas. Je ne sais pas quoi dire. J'ai été complètement bouleversé de la nouvelle.

— Oui, j'imagine, je ne sais même pas par où commencer... Je suis tellement désolée. J'aurais voulu que ça se passe autrement...

— C'est un garçon formidable ! la coupa Pierre.

— Oui, il est extraordinaire. Je suis tellement fière de lui.

À peine eut-elle fini sa phrase que ses yeux étaient déjà humides.

— Tu sais, Rose, j'ai beaucoup réfléchi à tout ça ces jours-ci, et c'est certain qu'on ne pourra rien changer à ce qui s'est passé... On ne reviendra pas en arrière, alors rien ne sert de se morfondre... J'aimerais juste qu'on apprécie ce moment, qu'on réalise que la vie nous donne une nouvelle chance. On devrait être reconnaissants pour ça. Il faut être positif. C'est quand même inédit de se découvrir père et futur grand-père le même jour !

Cela fit rire Rose. Elle se dit que Pierre ne s'était pas départi de son côté philosophe. Il avait toujours réussi à calmer ses angoisses, car il avait le don de tout relativiser.

— Alors, il t'a tout raconté ?

— À peu près tout...

— Mais je ne comprends pas une chose. Je croyais que tu ne voulais plus le voir... Que vous vous étiez fâchés ? J'avais cru comprendre que votre rencontre s'était mal passée ?

— Fâchés ? Je l'ai revu hier et on a prévu de déjeuner ensemble demain. Tu appelles ça « fâchés » ?

— Mais il m'a dit...

Rose s'interrompit pour réfléchir un instant. Pierre avait l'air certain de ce qu'il avançait. En revanche, Baptiste s'était toujours montré très évasif sur les raisons de la dispute avec son père.

Aurait-il... ?

— Oh, le manipulateur ! Mais je rêve... Mais de qui tient-il ça ?

— Pas de moi, ça c'est sûr, plaisanta Pierre.

— Donc tout va bien entre vous ?

— Parfaitement !

— Ce qui implique que mon fils m'a menée en bateau ?

— Il semblerait.

— Pourquoi ferait-il ça ?

— À ton avis ? Comme n'importe quel enfant. Pour que ses parents se retrouvent.

Rose sourit. Elle sentit qu'elle rougissait.

Était-il possible, pour la première fois de sa vie, qu'il y ait un alignement de planètes… en sa faveur ?

57

Et puis Colette…

Au déjeuner, Rose retrouva les commerçants des Batignolles. Ils allaient ensuite rendre visite à Colette. Edgar et ses acolytes avaient suivi le feuilleton de Rose avec passion, ses retrouvailles avec Pierre surtout, et lui demandaient des nouvelles à ce sujet… Il avait fait l'unanimité auprès du groupe. Retrouver son premier et unique amour, comme s'ils s'étaient quittés la veille, lui avait fait un choc bien plus dévastateur qu'elle ne l'aurait jamais admis à personne.

Rose avait du mal à se concentrer sur la conversation de ses amis. Elle était obnubilée par Pierre. Ils avaient parlé de tout et de rien, et avaient encore tellement de choses à se dire. Mais elle avait été rassurée sur l'essentiel. Il était resté le même homme : compréhensif, mature et toujours aussi beau !

Ils devaient se revoir le samedi suivant. Rose nota mentalement de vérifier dans l'horoscope ce qu'en pensaient réellement les astres. On ne se refait pas totalement…

— Rose, tu es avec nous ? On vient de se mettre d'accord sur le fait que tu fasses diversion auprès du personnel de santé pendant que, nous, on s'introduit dans la chambre de Colette pour la kidnapper.

— Oui, oui, très bien, parfait ! confirma la jeune femme pensive.

— Tant mieux, on avait peur que le fait que ce soit seins nus te gêne, mais si tout est bon comme ça : c'est parti alors !

— Quoi ? Excusez-moi, j'ai dû louper un truc : seins nus ? Moi ? On est sûrs ? Et qu'est-ce que c'est que cette histoire de « kidnapping » ? On ne devait pas juste rendre visite à Colette ? À mon avis, elle est mieux là-bas qu'auprès de sa fille, surtout en ce moment.

— On te taquine, Rose. On va tous voir Colette plus tard dans l'après-midi, comme prévu. Laurent va apporter un bouquet d'œillets, bien sûr, et Isabelle, des chouquettes.

— C'est Cupidon qui te fait cet effet ? se moqua Laurent, rabroué par le regard contrarié d'Edgar.

— Mais il est toujours célibataire ? coupa Isabelle. Parce qu'un beau parti comme lui, à ma connaissance, ça ne reste pas longtemps sur le marché. Tu as vérifié son annulaire, Rose ?

— Euh, non. J'aurais dû ? C'est vrai que je ne sais pas s'il est marié. Je n'ai pas pensé à lui demander. Ce n'est pas venu dans la conversation.

— Tu plaisantes ! ? Mais c'est la première chose à demander, ma belle, renchérit Laurent. Tu dois savoir comment est le terrain avant de planter ta graine : enfin, on dit ça dans mon métier...

— Mais laissez-la tranquille, coupa Edgar. Vous voyez bien que vous la faites rougir !

Ce n'était pas tout à fait faux. Comment avait-elle pu être si stupide et oublier de demander à Pierre s'il avait quelqu'un dans sa vie ?

Ne pas s'emballer... s'encouragea-t-elle en refrénant la musique de la marche nuptiale qui trottait dans sa tête depuis son entrevue avec Pierre.

58

Comme un air de famille

Quand elle entra dans la chambre de Colette, Rose eut un choc. Sa comparse, qui dormait, semblait toute petite, d'une fragilité extrême. Rose s'assit sur le bord du lit, à côté d'elle, et lui caressa les cheveux. La vieille dame sourit.

— Je savais que vous faisiez semblant de dormir, Colette. Je commence à vous connaître.

Cette dernière ouvrit un œil et rit aux éclats.

— Qu'est-ce que vous me trouvez ? Pourquoi vous êtes encore là ?

— Je ne sais pas. Il faut croire que je vous aime bien.

— Mais je suis toute rabougrie, affaiblie, je n'arrive même plus à me lever toute seule.

— Mais cela va revenir, Colette. C'est normal, ils vous donnent un tas de médicaments : vous qui n'avez jamais pris le moindre comprimé, forcément, cela vous fait tourner la tête.

— Quand j'aurai les résultats des examens, je vais sûrement être transférée en institution médicalisée.

— Quoi ? Attendez mais pourquoi ?! Vous n'êtes pas encore dépendante ! Vous n'êtes pas obligée d'y aller ! C'est votre fille qui a décidé ça pour vous ?! C'est ça ?

— Non, pas du tout. Absolument pas. C'est moi qui ai fait la demande.

Rose se figea.

— Écoutez, Rose, je ne suis pas éternelle et j'ai bien réfléchi : je n'ai aucune envie de retourner vivre auprès de ma fille. Là où je serai transférée, il y a un jardin magnifique, et des ateliers pâtisserie sont organisés une fois par semaine. Je serai entourée et plus au calme. Je me suis résignée. Ça ne sert à rien que je me rende malade à rester près de ma fille qui, elle, vit dans un congélateur. Les liens sont malheureusement rompus. Je voudrais finir ma vie plus sereinement. En attendant, je vais rester ici quelques jours ou quelques semaines de plus. Ils ont un beau parc : cela vous dit-il d'y faire un tour avec moi ?

— Certainement, en plus j'ai besoin de vous, Colette. Un sujet délicat dont on ne peut parler qu'avec une amie proche. Une personne de confiance qui ne vous jugera pas.

La vieille dame sourit et posa sa main sur celle de la jeune femme. Plus que deux amies, elles étaient unies par un lien presque filial, qui ne pouvait être rompu par la fin d'un contrat de *dog-sitter*.

Rose poussait le fauteuil roulant dans le jardin du centre spécialisé. Cela lui faisait tout drôle de voir enfin ce petit bout de femme dehors, à ses côtés. Il ne manquait que Pépette pour compléter le tableau. Elles s'arrêtèrent, Rose s'assit sur un banc et elles poursuivirent leur discussion :

— Il y a quelque chose dont vous aviez envie de me parler, Rose ? Je me trompe ?

— Oui, depuis que je vous ai rencontrée, vous m'avez toujours encouragée à prendre ma vie en main…

— Cela concerne le père de Baptiste, n'est-ce pas ?

— On ne peut rien vous cacher.

— Vous êtes verte ! Je parie que vous n'avez rien avalé depuis 24 heures… Rassurez-moi, vous êtes toujours capable de mettre un plat surgelé au micro-ondes au moins ?

— Ne vous moquez pas, Colette, sourit Rose. Et vous savez très bien que je ne mange plus de plats surgelés. Voilà, j'ai revu Pierre et, depuis, je ne suis pas dans mon assiette. J'ai comme le mal de mer.

— Ça s'appelle l'amour, ma chère ! C'est une formidable nouvelle.

— Plus ou moins…

— Pourquoi ? Qu'est-ce qui cloche ? Ne me dites pas qu'il vous en veut ?

— Non, je ne pense pas. Il était plutôt content, je crois. Ce n'est pas son genre d'être rancunier, de toute façon. Non, le problème, c'est que je ne sais pas s'il est toujours disponible. Il m'a invitée à dîner et je n'ai pas osé lui répondre.

— Quand est-ce qu'il vous a proposé de dîner ?

— Après-demain, samedi.

— Mais c'est incroyable, ça ! Pourquoi ne me l'avez-vous pas dit plus tôt ?

— Je ne sais pas comment réagir. J'ai tellement peur.

— Qu'est-ce que vous avez à perdre ?

— Je n'ai pas envie de m'emballer pour rien et de souffrir encore. Je ne sais pas quoi faire.

— Vous et votre manie de me poser des questions alors que vous connaissez déjà les réponses ! Vous m'en parlez uniquement parce que vous avez besoin d'un coup de pied au derrière ! Vous savez parfaitement ce que vous avez à faire. Sortez-moi ce fichu téléphone de votre poche et appelez-le immédiatement avant que je vous roule dessus avec ce fauteuil !

Rose prit la main de Colette et lui fit un tendre baiser.

— Vous êtes ma bonne fée ! Allez, entrons, vous avez d'autres visiteurs qui arrivent d'une minute à l'autre…

— Ah bon ? Qui ça ?

Quelques mètres plus loin, les deux femmes se dirigèrent vers l'entrée du service et Colette, en apercevant ses amis des Batignolles, un bouquet d'œillets à la main, eut les yeux qui s'embuèrent instantanément. Elle pensa, émue, à l'adage : « On ne choisit pas sa famille, on choisit ses amis. »

59

Chaque pot a son couvercle

Intérieurement, Rose priait pour que Pierre ne décroche pas. Pourtant, celui-ci répondit dès la deuxième sonnerie. Sa voix était calme, alors que Rose bouillait et ne savait par où commencer : elle ne pouvait pas demander, comme dans la cour de l'école : « Tu as une amoureuse, toi ? »

— Bonjour Pierre, excuse-moi de te déranger, mais j'aurais besoin de te voir au plus vite. J'ai deux-trois points à discuter avec toi.

— Moi aussi, j'ai quelque chose à te dire. Je connais un petit restaurant japonais où on mange bien et on y sera tranquilles. Je réserve pour ce soir et t'envoie l'adresse par texto ?

— Oui, parfait. À tout à l'heure, Pierre.

Et mince… Qu'est-ce qu'il a de si grave à me dire ? Qu'est-ce qu'il m'a pris de l'appeler ???

À 21 heures, Rose retrouva Pierre, attablé avec un petit bouquet à côté de lui. L'espace d'une seconde, la jeune femme pria pour que les fleurs soient vraiment pour elle, et pas pour un parent malade ou, pire, un rendez-vous galant qu'il aurait juste après leur dîner…

Heureusement, à peine fut-elle arrivée que Pierre se leva, l'embrassa sur la joue et lui tendit les roses. Blanches. Si Laurent, le fleuriste-paysagiste, avait été là, il lui aurait rappelé que c'était « bon signe ». Mais ne pas s'emballer ! Pierre était capable de souffler le chaud puis le froid dans la même phrase, et sans s'en rendre compte.

Avant de commencer le repas, il fallait qu'elle enlève ce poids, sinon, son estomac pourrait faire des siennes. Elle se lança :

— On n'a pas eu le temps de beaucoup discuter l'autre fois. Raconte-moi. Quoi de neuf ?

Quoi de neuf !!! Mais quelle nulle… Ce n'est pas comme ça qu'elle arriverait à lui tirer les vers du nez.

— Qu'est-ce que tu veux savoir de particulier ? Vingt ans, c'est long à résumer : et tout n'est pas intéressant. Mais si je te raconte ma vie, je veux aussi en savoir plus sur toi, et sur Baptiste. J'ai tellement loupé de choses que j'aimerais me rattraper au plus vite.

— Je ne sais pas moi… Par exemple, tu es marié ? Tu as dit quoi à Baptiste ? Je veux juste disposer du même niveau d'information que lui.

— Marié, oui.

Eh mer... credi ! J'ai envie de mourir ! Laissez-moi dépérir dans ce restaurant japonais d'un gavage de menus B2...

— J'ai épousé une infirmière qui travaillait avec moi à l'étranger, il y a dix ans. On était très pris par notre mission là-bas et on s'est un peu oubliés en chemin. On s'est séparés au bout de six ans : on n'avait plus les mêmes rêves. Moi, je commençais à avoir fait le tour des missions à l'étranger, mon père était malade, mais elle voulait aller dans un autre pays, pour encore plus longtemps. Voilà. C'est tout.

— Non, non, non ! interrompit la jeune femme. Ce que je veux dire, ce n'est peut-être pas tout ? Si je calcule bien, votre séparation était il y a quatre ans. En quatre ans, il peut s'en passer des choses...

— Tu me feras toujours autant rire, Rose ! Demande-moi directement si j'ai quelqu'un, ce sera plus rapide. Et toi, tu as quelqu'un ?

— Hep ! J'ai demandé en premier : ma réponse d'abord.

— Oui, j'ai eu quelques aventures, mais rien de sérieux. Et personne en vue, ou presque, en ce moment...

— Mouais, peut mieux faire sur la réponse. Moi, personne de particulier en ce moment, non plus. J'ai été pas mal occupée ces temps-ci.

270

— Ah oui ? Intéressant… Et tu fais quoi alors, côté boulot ? Je n'ai pas bien compris quand j'en ai discuté avec Baptiste l'autre jour. J'étais sûr que tu étais devenue infirmière…

Grrrr ! Mais quelle mémoire…

— Euh non, pas encore, enfin toujours pas. Mais ces derniers temps, j'y songe sérieusement, figure-toi… Je ne désespère pas. Une amie très chère m'a fait prendre conscience que, dans la vie, il n'est jamais trop tard pour penser à soi ! Enfin, bref.

— Écoute, Rose, j'ai une faveur à te demander…

— Tout ce que tu veux ! Je ne suis pas vraiment en position de te refuser quoi que ce soit.

— Comme je l'ai déjà dit, le passé est passé. Je ne t'ai rien reproché sur le fait que je découvre ma paternité après 18 ans, mais il y a quelque chose qui compte pour moi…

— Oui ?

— J'aimerais reconnaître Baptiste comme mon fils. Il n'y a aucune raison de ne pas le faire. Je me suis renseigné, il y a quelques démarches administratives, mais c'est possible. Je ne voulais pas lui en parler sans ton accord, évidemment… Qu'en penses-tu ?

Allô la Lune. Ici la Terre. Répondez !

La jeune femme était bouche bée. Elle était tellement obsédée par le célibat de Pierre qu'elle

271

en avait oublié l'essentiel : Pierre venait de devenir père à près de 40 ans. En homme intègre et passionné, il voulait faire les choses bien. Comme toujours. Comme avant. Cette décision n'était en rien un détail, au contraire. Jamais Rose ne l'avait même espérée. Et quel plus beau cadeau pouvaient-ils faire ensemble à Baptiste que cette *formalité*…

— C'est plus que je n'osais espérer, Pierre.

Pierre eut pour Rose un regard intense, et si ce n'était sa pudeur, il aurait dit à la femme qu'il n'avait jamais oubliée tout ce qu'il avait sur le cœur.

S'il avait osé, Pierre aurait raconté à Rose qu'il n'avait cessé de penser à elle durant toutes ces années, qu'il y a 18 ans, au lieu de la perdre pour de simples ambitions professionnelles, si c'était à refaire, il aurait ouvert un cabinet médical à la campagne pour leur éviter cette séparation. S'il avait pu revenir en arrière, il l'aurait gardée près de lui, et ils auraient élevé Baptiste ensemble, ils auraient sans doute eu d'autres enfants, aussi beaux, intelligents et sensibles que lui.

Il avait envie de lui dire toutes ces choses et s'apprêtait à lui prendre la main lorsque le téléphone de Rose sonna…

En voyant le nom de Baptiste et leur fameux selfie s'afficher en fond d'écran, le cœur de Rose bondit dans sa poitrine. Elle avait un drôle de pressentiment. Encore.

— ALLÔ ! Tu m'entends ?! Tu es là !

— Oui ! Oui ! Je suis là ! Qu'est-ce qui se passe ?

— Jessica a accouché. On est à l'Hôpital américain. Là, les visites ne sont plus autorisées, mais exceptionnellement elle sort demain. Ça me ferait plaisir si tu pouvais passer nous voir chez ses parents. Tu peux appeler Pierre pour le prévenir ? Je serais content qu'il vienne aussi. On dit demain à 14 heures ? Je t'envoie l'adresse par texto.

Dans un sanglot mêlé à un rire, Rose laissa exploser sa joie et son soulagement.

— C'est entendu, mon amour ! Je suis si heureuse.

C'est Rose qui saisit finalement la main de Pierre, les yeux pleins de larmes et un large sourire illuminant son visage.

— Le bébé est né, Pierre. Et on va le rencontrer ensemble !

60

Comme une envie de chocolat

Lili riait comme une hyène depuis plus de dix minutes. Rose ne parvenait pas à l'arrêter. Cela en devenait limite vexant.

— Bon, tu te reprends ! Je t'ai juste dit que l'on avait dîné ensemble et c'est tout. Il n'y a rien d'autre à ajouter. On se voit demain chez Baptiste. Et voilà.

— Et voilà ? C'est tout ? Tu ne vas pas me faire croire que revoir le seul amour de ta vie ne te fait ni chaud ni froid… À d'autres, ma belle ! Tu as perdu combien de kilos depuis une semaine ?

— Quoi, je ne sais pas. Deux peut-être. Pourquoi ?

— Amoureuse, votre honneur ! Voilà son crime !

Lili repartit de plus belle, hilare, devant une Rose boudeuse.

— Je rencontre Jessica pour la première fois et j'ai besoin de toi pour ne pas faire de faux pas. *Please !*

— Quelle polyglotte ! Je constate que tu es prête pour demain, avec ta belle-fille...

— Oh purée, je panique tellement que j'avais oublié que c'était aussi en anglais. Je vais avoir l'air ridicule à côté de Pierre et de Baptiste ! Mais pourquoi, mon Dieu, faut-il toujours que je me mette dans des situations impossibles ?

61

Haut comme trois pommes

Rose était sur-stressée. Le jour qu'elle avait attendu depuis des mois était enfin là. La jeune grand-mère allait pouvoir serrer ce petit bébé dans ses bras. Respirer son petit cou. Mordiller gentiment ses petites mains.

Les plus grandes épreuves se résolvent parfois avec une telle simplicité que c'en est déconcertant.

Comme à son habitude, Rose n'avait pas pu fermer l'œil de la nuit : trop impatiente et préoccupée. Baptiste avait prévu les choses simplement : Rose et Pierre avaient rendez-vous chez les parents de Jessica, mais ceux-ci seraient absents. Une rencontre à la fois : d'abord Jessica et le bébé. On verrait plus tard pour la suite. Même Mercure et Jupiter étaient d'accord avec cette approche en deux temps.

La maison dans laquelle habitait Jessica, ainsi que sa famille, était située dans l'Ouest parisien, pas très loin du Racing, ce club huppé si cher à Véronique. La demeure était gigantesque. Rose était venue en métro et avait continué à pied. Elle retrouverait Pierre à l'intérieur. Mais, devant la haute grille, elle se rendit compte qu'elle aurait presque autant à marcher une fois à l'intérieur du parc privé.

Dans ses mains, elle tenait serré un petit paquet. Son cadeau pour le bébé. Elle ne voulait pas oublier de marquer l'événement. À Jessica aussi, elle tenait à offrir un petit quelque chose, mais cela avait été un casse-tête. Alors elle s'était échinée, avait cherché quels pourraient être leurs points communs et avait finalement préparé un petit cadeau simple qui pourrait faire mouche.

Elle s'apprêtait à sonner à l'interphone, qui était équipé d'une caméra de surveillance, quand la grille s'ouvrit toute seule. Rose avait côtoyé de près des familles aisées, mais elle pénétrait dans un monde un cran au-dessus. Pourquoi devait-elle être confrontée à ces personnes qu'elle n'égalerait jamais ? Au moins, si son fils et son petit-fils avaient la chance de pouvoir en profiter tout en gardant les pieds sur terre, cela lui allait.

Plus elle approchait, plus la demeure prenait des proportions démesurées. Combien de pièces pouvait-elle avoir ? Et combien de personnes étaient à leur service ? Alors qu'elle grimpait les marches du perron, une berline noire s'arrêta derrière elle. En descendit un homme élégant et parfumé : elle reconnut Pierre, sur son 31. Son sourire était crispé. Si ce jour était important pour elle, Rose était ravie de voir que le père de son fils n'en menait pas large. Il la regarda et lui dit :

— Prête pour rencontrer « notre » petite famille ?

Pierre lui attrapa le bras et ils s'avancèrent ensemble dans le hall où trônait un gigantesque arbre de Noël, décoré avec beaucoup de goût. Devant eux, apparut Baptiste avec, dans ses bras, un nourrisson endormi. Il était magnifique, si serein.

— Je vous présente Justin, dit le jeune papa en faisant bouger la menotte du petit. Installez-vous dans l'un des fauteuils. Tu veux le prendre ? proposa-t-il à sa mère.

Rose avança vers la petite tête ébouriffée, rayonnante de bonheur. Justin se laissa attraper et aussitôt Rose sentit monter en elle un sanglot.

Ne pas pleurer, pas dès la première minute. Sinon Baptiste va se moquer de moi et, surtout, je risque de faire peur au petit…

Elle regarda autour d'elle : Pierre et Baptiste venaient de se saluer d'une longue accolade. Un geste de père, naturel, comme si la fibre paternelle avait toujours été là, quelque part en lui. Il mit son bras autour de l'épaule de Baptiste et dit simplement : « Félicitations, mon grand ! » C'était beau de les voir ainsi tous les deux : deux mondes qu'elle avait toujours connus séparés, pour la première fois, se réunissaient sous ses yeux. Pour le meilleur, le pire étant déjà derrière eux.

La jeune femme comprit que leur vie ne serait plus jamais la même. Qu'elle était bel et bien grand-mère à 37 ans ! Ce petit être était parfait et, tandis qu'elle le tenait dans ses bras, elle pensait à toutes les épreuves qu'il avait fallu traverser et se dit que, pour apprécier ce bonheur, il fallait au moins ça. C'était intense, ce qu'elle avait ressenti à ce moment-là.

Les planètes s'étaient peut-être enfin alignées. Ou peut-être pas. Elle ne pensait plus aux prédictions. Les plus belles choses que l'on a à vivre sont inattendues bien souvent.

Baptiste reprit la discussion sur une boutade :

— Pierre, tu ne m'en voudras pas si je ne t'appelle pas Papa, mais directement Papy ? Je plaisante. Je suis content que tu sois venu.

Rose sourit, en silence. Ne rien dire. Ne pas tout gâcher. Dix-huit ans, et elle l'attendait encore, son « Maman ». Pierre n'y avait pas encore droit, et c'était plus que normal. Il fallait laisser le temps au temps : les choses viendraient naturellement.

Justin sentait si bon. Rose lui murmurait des mots d'amour à l'oreille, puis glissait jusqu'à son cou pour lui faire des énormes bisous sonores : le petit semblait lui sourire. Rose s'en donnait à cœur joie.

Après quelques minutes, où la jeune grand-mère avait l'impression d'être seule au monde avec le plus beau cadeau que la vie pouvait lui donner – finalement –, elle se rendit compte qu'elle n'avait pas encore salué la jeune maman anglaise.

— Où est Jessica ? J'aimerais beaucoup la rencontrer. Et, je sais que ce n'est pas encore tout à fait Noël, mais j'ai des petits cadeaux pour vous trois.

— Moi aussi, j'ai un petit quelque chose, ajouta Pierre, mais, je me rends compte, c'est seulement destiné à toi, Baptiste.

— Attendons Jessica. Elle arrive dans une minute, elle terminait de se préparer. Tiens, la voilà !

La jeune femme descendait justement l'escalier pour les rejoindre au salon. Elle portait une robe légère aux genoux et avait laissé ses cheveux onduler librement. Elle était vraiment d'une beauté époustouflante. Elle avait un petit air de ressemblance avec l'actrice Jessica Chastain. Son fils ne pouvait qu'être tombé amoureux d'une splendeur pareille au premier regard.

280

L'accouchement récent ne se lisait presque pas sur sa silhouette : seul son visage semblait un peu fatigué.

Rose tendit alors le nourrisson à Jessica et en profita pour lui serrer poliment la main – sur l'unique conseil que sa sœur Lili lui avait donné : *avec les Anglais, pas trop de familiarité, tout de suite. Pas de bises, juste une poignée de main ferme et un sourire sincère. Le tout accompagné d'un petit présent, cela ne mange pas de pain.*

— Jessica, tu l'auras deviné, voici mes parents : ma mère, Rose, et mon père, Pierre. C'est une grande première pour moi de les voir ensemble et ça me fait tout drôle. Mais je suis vraiment content que vous soyez là, tous les deux, conclut Baptiste.

— Moi aussi, enchaîna Jessica dans un français à la Jane Birkin. Je sais à quel point Baptiste y tenait : merci à vous d'être venus.

— Plaisir partagé, sincèrement, répondit Pierre. On a des petits présents pour vous trois. On est un peu en avance sur Noël, mais Justin ne s'en formalisera pas. On commence ?

Rose donna tout d'abord le petit doudou destiné au bébé. Quand elle découvrit le petit lapin d'une douceur absolue, Jessica remercia sa belle-mère.

— Ce n'est pas tout. J'ai un petit quelque chose pour vous aussi, Jessica, à ouvrir avec

Baptiste. *If I may, can I hold Justin in the meantime ?* murmura-t-elle dans un souffle. Puis-je le prendre ? s'empressa-t-elle de repréciser en français, convaincue que personne n'avait compris.

Rose récupéra Justin et tendit un petit paquet carré à Baptiste, déconcerté.

— Mais depuis quand tu parles anglais comme ça ?! Tu travailles pour une famille étrangère ?

Rose rougit :

— Non. Jessica parlant anglais, il fallait que la mamie se mette au niveau pour elle et bientôt pour Justin... Et puis, j'ai été un peu aidée. Alors, ce cadeau ?

— Cela ressemble à s'y méprendre à un livre, taquina Baptiste.

— Ouvre et tu verras !

Baptiste arracha l'emballage et découvrit ce qui paraissait effectivement un roman. Mais, quand il l'ouvrit, il fut étonné. Des photos, des photos et encore des photos. De lui. À tous les âges.

Un bébé dans le bain, un petit garçon sur le tourniquet, un élève appliqué sur le banc devant son école, puis en vacances à la mer ou encore en voyage à Londres devant Big Ben, un jeune adolescent avec ses amis Freddy, Thierry et Willy, et plus grand encore, en costume, lors de son entrée à l'école hôtelière.

— Je ne savais pas que tu avais tous ces clichés !

282

— Cela fait longtemps que je l'avais préparé, c'était pour tes 18 ans, et puis on n'a pas eu le temps... Mais je savais que cela te ferait plaisir. Toi qui ne te rappelais même plus ta bouille de bébé !

— Il est génial, cet album. Si c'est possible, Rose, j'adorerais en avoir un aussi, demanda Pierre, qui découvrait son fils grandir, page après page.

— Oui, je l'ai laissé chez Lili, mais, bien évidemment, j'en ai un également pour toi. Il faudra le continuer, maintenant que la famille s'est agrandie.

— C'est vraiment très gentil à vous, Rose ! ajouta Jessica.

— En parlant de rattraper le temps perdu, moi aussi, j'ai un cadeau pour toi, Baptiste. J'espère sincèrement que cela va te faire plaisir. Allez, je n'en dis pas plus, sinon je sens que je vais lâcher une petite larme...

Baptiste saisit l'enveloppe que lui tendait Pierre. Il déplia la feuille, la parcourut, puis leva des yeux écarquillés :

— C'est un acte de reconnaissance de paternité. Tu es sérieux ? J'ai un père ? Officiellement ?

— Oui, si tu es d'accord, évidemment... continua timidement Pierre.

Baptiste se leva d'un bond et serra de toutes ses forces cet homme qu'il avait plus que jamais envie de faire entrer dans sa vie. Ce père qui lui avait tant manqué !

— Nous aussi, on a quelque chose à vous demander, à tous les deux… continua le jeune homme. Et j'espère que, cette fois, *Maman*, tu ne vas pas tomber dans les pommes, Pierre et toi, vous êtes pris le 15 mai prochain… Avec Jessica, on se marie !

Rose afficha un sourire béat. L'annonce du mariage n'était même pas arrivée jusqu'à son cerveau. Il y avait embouteillage d'émotions au niveau de son cœur. Rose voulait rester sur ce moment unique. Magique dans la vie d'une mère. Son fils venait de dire « Maman » pour la première fois.

62

Le meilleur est à venir

Rose s'était rendue chez Pierre. C'était le réveillon du 31 décembre et les chansons de Noël jouaient les prolongations à la radio. Les jeunes grands-parents avaient la responsabilité de s'occuper de Justin pour tout un week-end. La jeune femme aurait préféré passer la soirée en terrain plus neutre, chez sa sœur par exemple, mais Lili avait un rendez-vous galant.

Jessica et Baptiste avaient décidé de s'octroyer un peu de temps, à deux, pour la première fois depuis la naissance du bébé, et avaient sollicité l'aide des parents du jeune homme. En effet, le père et la mère de Jessica étaient en voyage pour une tournée d'adieu du PDG dans ses différents hôtels à travers le monde.

Rose s'était mise aux fourneaux et, une fois le plat englouti, Pierre avait fait une remarque qu'elle n'avait jusqu'à présent jamais entendue :

— Humm, c'est succulent. Je ne me souvenais pas que tu cuisinais si bien.

— Tu plaisantes, c'est trois fois rien : une dorade toute bête !

Merci, Colette ! Tu avais raison, ma bonne fée !

Après le dîner, en gentleman, Pierre avait laissé son lit à la jeune femme et s'était installé sur le canapé. Il lui avait parlé de bonnes résolutions, Rose lui aurait bien répondu qu'elle n'avait jamais été en mesure d'en tenir ne serait-ce qu'une.

Pluton pouvait confirmer…

Rose n'avait pas pu fermer l'œil de la nuit.

La preuve : 4 h 53, et toujours pas endormie !

Elle n'aurait su dire si c'était la charge importante de s'occuper du bébé de Baptiste, la proximité physique de son premier amour qui dormait dans la pièce d'à côté, ou la responsabilité énorme qui attendait désormais sa belle-fille et son fils.

Certainement, un peu des trois.

L'avalanche de bonnes nouvelles de ces dernières semaines contrastait tellement avec la succession de catastrophes de l'an passé que Rose avait l'impression d'être en plein rêve. Baptiste et Jessica reprenaient la gestion de l'un des établissements parisiens du père de celle-ci, qui avait toute confiance en eux. Rose se rendait compte avec beaucoup d'admiration combien il avait fallu à Baptiste de courage et d'audace pour se faire accepter, prouver sa valeur et ses capacités. Elle se sentait tellement fière de lui.

L'avantage, par rapport à la situation professionnelle du jeune couple, était qu'elle n'aurait plus à s'inquiéter de l'avenir ni des finances de son fils, ni même songer à abandonner la formation d'infirmière, qu'elle venait de reprendre.

Les choses n'avaient pas toujours été aussi faciles. Les parents de Jessica, un peu comme Rose, n'avaient pas vu d'un très bon œil la grossesse prématurée de leur fille unique, et son amour pour *un moins que rien* sûrement arriviste. Baptiste et Jessica avaient d'abord dû se débrouiller sans leur aide. Le jeune homme avait donc mis les bouchées doubles pour démontrer sa valeur au travail : alors seulement les parents avaient fini par les accepter sous leur toit.

Rose était perdue dans ses pensées lorsqu'elle entendit le bébé gazouiller. Sûrement l'heure du biberon, se dit-elle. La jeune grand-mère gaga prit son petit-fils dans ses bras. Près de lui, dans son lit d'appoint, il y avait Lapinou. Un geste symbolique très fort pour Rose. Alors qu'elle se mit à bisouiller le cou de Justin (c'est ce qu'elle préférait au monde, cette odeur), Pierre arriva à petits pas, il avait déjà anticipé et préparé le biberon. Elle lui laissa le soin de le lui donner. Alors que le bébé se régalait dans les bras de son grand-père assis sur le petit fauteuil de la chambre, Rose fut amusée de la situation :

— Toi qui voulais rattraper le temps perdu !

— On forme une équipe pas mal, non ?

— C'est vrai !

— On pourrait reformer l'équipe pour de bon…

Rose sentit ses joues se réchauffer.

63

Il était une fois

Colette était venue et Rose avait été tellement émue en la voyant arriver !

— Un mariage dans un si beau jardin, ça ne se refuse pas !

Les deux femmes tombèrent littéralement dans les bras l'une de l'autre.

La décoration des bancs et de la tonnelle était magnifique. Laurent, le paysagiste, avait fait un travail formidable pour fleurir le petit jardin sur le toit de Colette.

Rose était stressée. Il fallait que tout soit parfait. Elle n'avait pas encore vu Pierre et se demandait où il était passé. Colette, voyant l'angoisse de Rose, était venue prendre son bras pour lui faire faire un petit tour et lui raconter les dernières nouvelles. Rose avait besoin de se changer les idées.

L'heure du fameux coup de pied au derrière pour essayer de déstresser avant le grand moment.

Dans l'immeuble de Véronique, beaucoup de choses avaient évolué ces derniers mois, depuis le départ de Rose. Si le concept des vases communicants existait vraiment, il semblait qu'il avait déréglé quelque peu la famille Lupin.

Alors que le séjour en maison de repos avait réconcilié Colette avec le monde extérieur, les choses étaient tout autres pour sa fille.

Depuis que la construction du centre d'hébergement pour sans-abri avait débuté et que des familles entières venaient tous les jours dans les préfabriqués chercher à manger, Véronique Lupin se sentait « contaminée ». Elle en frissonnait souvent sur son canapé, qu'elle ne quittait plus. La fille Lupin avait une telle peur de ses nouveaux voisins qu'elle refusait tout bonnement de sortir de chez elle.

Colette, rentrée définitivement dans ses pénates, n'en pouvait plus d'entendre sa fille geindre, tressauter et hurler : elle passait alors le plus clair de son temps loin d'elle. Elle se baladait entre le jardin secret, le parc des Batignolles, le café d'Edgar et le parc du centre de soins, où on contrôlait régulièrement sa pression artérielle. Ainsi, la mère et la fille ne se disputaient plus. Ou presque…

Le vendredi soir, un week-end par mois, la vieille dame recevait une invitée spéciale : Rose. Le contrat entre elles était clair : s'amuser. L'ex-*dog-sitter* venait avec un plat cuisiné à partir d'une des recettes de Colette (et était souvent réprimandée pour ses libertés culinaires), et cette dernière préparait le dessert. Seul impératif, uniquement des spécialités françaises, afin de satisfaire la convive particulière que les deux femmes attendaient pour l'occasion : une *couch-surfeuse*, toujours détonante, choisie par la vieille dame !

Ainsi, Rose continuait ses progrès en anglais : maintenant, elle n'avait plus peur de se lancer ni de faire des erreurs. Elle savait qu'elle se faisait comprendre.

Pierre n'était jamais invité à leurs soirées. Cela leur donnait l'occasion de parler de lui, des potins du quartier, qui intéressaient de plus en plus Colette – elle-même en collectait une grande partie –, de Lili et ses dernières lubies, de Baptiste et du petit Justin qui babillait désormais dans les deux langues.

Le plus surprenant était l'attachement que Colette avait développé pour Pépette. Rose retrouvait l'animal avec plaisir une fois par mois, le laissant à distance pour contenir ses allergies. Cependant, côté alimentation, la mère

Lupin ne valait pas mieux que sa fille. Alors que Rose avait réussi à restructurer les repas du chien, un peu plus en accord avec les besoins canins, Colette continuait tous les jours de cuisiner pour deux...

Épilogue

Ils vécurent heureux

Dans le jardin sur le toit, les invités prenaient place. Ce mariage intime allait vraiment être magnifique : le soleil était au rendez-vous, les invités tous élégants, le petit Justin adorable avec son polo blanc et son petit pantalon beige. Et Pépette, tout énorme qu'elle était devenue, avait trouvé un coussin et s'y était échouée : elle n'avait apparemment pas prévu de faire ses petits numéros de cirque...

La cérémonie allait commencer.

Chaque invité avait pris place. Les amis les plus proches, les commerçants des Batignolles étaient évidemment de la partie. Rose se tenait debout à côté de sa sœur. De l'autre côté, Pierre et Baptiste étaient au garde-à-vous. Rose était stressée, mais ne voulait pas le montrer.

Lili avait du mal à garder son sérieux et la titillait.

— Et s'il disait « non » ?

— Ne me parle pas de malheur, Lili !

— Tu sais que je considère sérieusement le mariage ?

— Pour qui ? demanda Rose, perplexe.

— Bah, pour moi ! D'ailleurs, Edgar ne semble pas contre…

— Euh, allez-y doucement, les amoureux, ça fait à peine six mois que vous vous fréquentez. Avec tous les divorces dont tu t'es occupée au cabinet, cela ne t'a pas refroidie ?

— Je suis plus bouillante que le volcan Eyjafjza… Comment on dit déjà ?

— Essaie plutôt : « Chaude comme la braise ! »

Lili lui fit son sourire le plus faux-cul du monde et attaqua discrètement les petits-fours au foie gras.

— Ce n'était pas l'idée, même si ce n'est pas faux. Humm, j'avais oublié à quel point c'était bon, ces trucs. Allez, un dernier, et après j'arrête. Rose, on t'appelle, je crois…

Baptiste lançait de grands signes en leur direction tandis que le petit Justin faisait coucou de ses deux mains : on avait l'impression qu'il indiquait les issues de secours d'un avion.

Trop mignon, celui-là ! Son vrai et unique chouchou. Que Rose adorait jusqu'aux étoiles.

— Maman, viens, c'est la photo de famille !

Cela faisait encore tout bizarre à Rose d'être réunie avec Pierre, autour de *leur* Baptiste. À sa gauche, Baptiste portait son fils, fier comme Artaban. De chaque côté, les jeunes grands-parents. La famille de Jessica avait tout de suite accepté ce mariage discret en France, puisqu'ils avaient de toute façon prévu une seconde noce grandiose dans leur cottage privé en Angleterre.

En toute simplicité, les parents de Jessica avaient sûrement invité tout Buckingham Palace !

Pour ce deuxième échange de vœux outre-Manche, Rose et Pierre seraient bien évidemment de la fête, et la jeune femme prendrait l'avion pour la première fois. C'était plus cela qui l'angoissait que de devoir pratiquer la langue de Shakespeare tout un week-end, d'autant qu'elle la maîtrisait de mieux en mieux.

Pépette tournait autour du gâteau. La jeune femme lui lançait des regards chargés de menace, mais la charlotte aux fraises confectionnée par ses soins faisait vraiment trop envie à ce véritable ventre sur pattes. Il avait la mémoire courte. Rose n'avait pas pu s'empêcher de choisir ce dessert en pensant à Véronique, qui n'avait pas été invitée, mais, de fait, n'était pas bien loin. La grosse boule hirsute prit alors son envol et… s'étala de tout son long dans le potager de Colette. Le toutou manquait d'exercice depuis que Rose avait mieux à faire.

Colette s'avança alors pour lessiver le Loulou – on ne perd pas de vieilles habitudes comme ça –, saisit le tuyau d'arrosage, et doucha le petit animal recouvert de terre. Celui-ci déguerpit à la vitesse d'Usain Bolt. Rose ne l'avait jamais vu aussi rapide lors de leurs tours du pâté de maisons. De toute évidence, passer de la folle Véronique à la quelque peu toquée Colette lui avait fait du bien.

Quand la séance photo fut terminée, Lili se rapprocha de sa sœur et lui chuchota :

— Pierre n'est pas trop jaloux de ton doudou dans le lit ?

— Lapinou prend de la distance ces temps-ci, donc ça va.

— Et sinon, cette fois, tu n'as pas oublié d'informer le père ?

— De quoi tu parles ? répondit Rose.

— On ne me la fait pas à moi ! Alors ? Tu ne veux toujours pas me le dire ? C'est une fille ou un garçon ?

Rose tira la langue en direction de sa sœur, puis regarda tendrement Pierre qui plaisantait aux blagues de son fils. D'un sourire énigmatique, elle répondit simplement en se touchant le ventre :

— Minute, papillon ! Ça, c'est une autre histoire…

FIN

Pour contacter l'auteur :
aurelie.valognes@yahoo.fr

Pour retrouver l'auteur :
Twitter : @ValognesAurelie
Instagram : aurelievalognes_auteur
Facebook : Aurelie Valognes auteur
et sur son site : www.aurelie-valognes.com

ET POUR FINIR...

Puisque les derniers mots d'une lettre sont souvent les plus beaux, car écrits avec le cœur, ces phrases vous sont directement adressées, à vous lecteurs, mais également à quelqu'un de particulier qui aurait pu me souffler chaque mot de ce roman.

Cette histoire, je l'ai depuis longtemps dans la tête. Si certaines idées n'ont pas changé, beaucoup de nouveautés m'ont accompagnée dans l'écriture de ce troisième livre : mon bébé Gaspard, la banquette confortable de la Pâtisserie des Rêves de Milan, un fond de musique jazzy, quelques parts de tarte au citron ou de galette des Rois, des litres d'eau gazeuse, et des tonnes de cappuccinos avec mousse de lait en forme de cœur.

Entre-temps, le succès imprévisible de *Mémé dans les orties* en poche est arrivé, accompagné de milliers de messages émouvants que vous m'avez envoyés. Je pourrais écrire des centaines de romans simplement grâce à tout l'amour que vous partagez avec moi. Continuez, je vous en prie. Je pleure, je ris de suivre la vie secrète de mes romans entre vos mains. Mes livres sont comme des bouteilles jetées à la mer : je sais qu'il leur arrive des péripéties extraordinaires, mais c'est grâce à vos e-mails que je découvre par exemple qu'ils deviennent le premier livre de votre vie, celui qui vous a fait entrer dans une vraie librairie, celui que vous lisez pour faire une dictée à vos enfants, celui qui vous fait renouer avec la lecture ou avec des proches. Je suis émue et si fière de vous. Je ne parviens plus à répondre à chaque message en période d'écriture, mais soyez assurés que je les lis absolument tous (vous avez la même adresse e-mail que celle qu'utilisent ma mère ou mon éditrice pour me contacter et j'ai intérêt à leur donner signe de vie du tac au tac).

Mon premier merci est évidemment adressé à tous ceux qui m'accompagnent dans cette incroyable aventure : mon mari, mes enfants, ma famille, mes amis, mon éditrice Alexandrine Duhin, les équipes de Fayard et du Livre de Poche, les libraires et mes adorables lecteurs.

Ce roman se veut être une pause, un merci particulier, dans ce monde qui fonce. Un « Minute, papillon ! » pour se recentrer sur ce qui est important et pour dire les choses à ceux qui comptent vraiment.

J'ai écrit cette histoire sur la relation mère/enfant en étant enceinte, et, aujourd'hui, mon petit Gaspard a 10 mois et déjà 6 dents. Il grandit à la vitesse de la lumière. Quant à mon grand Jules, de presque 5 ans, n'en parlons pas : c'est déjà un ado qui reste des heures dans sa chambre avec ses livres et sa musique. J'essaie de profiter de chaque instant avec eux, mais, avec le travail, ce n'est pas toujours évident. Le temps passe si vite !

Alors, je me suis demandé : qu'est-ce que cela me fera quand mes oisillons quitteront le nid, quand je saurai qu'il ne me restera plus que quelques mois à passer avec eux sous mon toit. Et s'ils devançaient même mes prévisions et partaient sans que j'y sois préparée ? C'est une expérience que je n'ai pas encore vécue, mais qu'une personne, qui m'est chère, a éprouvée avec moi.

Je dois beaucoup à mes deux parents, notamment pour les valeurs simples qu'ils m'ont transmises, et chaque histoire, qui me touche et que je partage avec vous, est née de l'éducation qu'ils ont pris soin de me donner.

Tout comme Baptiste, je n'ai jamais appelé ma mère « Maman ». Les choses se sont faites bêtement : elle aussi a été une nounou qui a voulu faire les choses bien et n'a pas souhaité privilégier sa fille par rapport aux autres bouts de chou.

C'est à elle que je dédie cette histoire d'amour filial et de deuxième chance.

Merci de m'avoir bien élevée, d'avoir fait en sorte que mon frère et moi n'ayons manqué de rien (c'est sûrement pour cela qu'il squatte toujours la maison, d'ailleurs), de m'avoir responsabilisée très tôt (c'est à double tranchant – cela forge un caractère de cochon !), de m'avoir inculqué le sens de l'argent ou de l'importance de recevoir ou donner une bonne éducation.

Comme il y a des choses plus faciles à écrire qu'à dire, je voudrais m'excuser pour tout ce que je ne t'ai pas dit. Pardon de ne pas être aussi disponible que tu le souhaiterais, d'avoir déménagé loin, de te tenir éveillée parce que tu t'inquiètes encore pour moi, pardon de ne pas être assez patiente, de te reprendre dès que tu dis « de l'eau qui pique », de passer peu de temps en vacances avec toi, ou encore de te donner parfois l'impression d'avoir voulu une vie plus belle.

J'ai grandi, je suis maman, et c'est maintenant moi qui dis « de l'eau qui pique » (même sans les enfants). Alors, rappelle-toi que ce roman est aussi l'histoire d'une deuxième chance, un rappel sur le fait de ne pas baisser les bras, même quand on voit toujours le verre à moitié vide. Et s'il y avait une vie après le doudou pour Maman ?

Il y a quelques jours, mon grand Jules de quatre ans et demi, m'a montré son nombril et m'a demandé si moi aussi j'en avais un. Il était intrigué sur son utilité. Je m'apprêtais à lui répondre de manière *très terre à terre* quand il m'a semblé plus beau de simplement lui dire : pour que tu gardes une trace de ta maman, toujours avec toi, même quand elle n'est pas là.

Merci pour tout, Maman.

Table

Le Livre de Poche s'engage pour
l'environnement en réduisant
l'empreinte carbone de ses livres.
Celle de cet exemplaire est de :
300 g éq. CO$_2$
PAPIER À BASE DE   Rendez-vous sur
FIBRES CERTIFIÉES   www.livredepoche-durable.fr

Composition réalisée par PCA

Achevé d'imprimer en juin 2018 en Italie par
Grafica Veneta
Dépôt légal 1re publication : mars 2018
Édition 05 – juin 2018
LIBRAIRIE GÉNÉRALE FRANÇAISE
21, rue du Montparnasse – 75298 Paris Cedex 06

80/7780/4